에스페란토의 창안자
자멘호프의 세계에스페란토대회 연설모음

자멘호프 연설문집

Paroladoj de Zamenhof

자멘호프(L. L. Zamenhof) 지음

자멘호프 연설문집

인 쇄 : 2023년 1월 09일 초판 1쇄
발 행 : 2023년 1월 16일 초판 1쇄
지은이 : 자멘호프(L. L. Zamenhof)
옮긴이 : 이현희(Onklo)
펴낸이 : 오태영
출판사 : 진달래
신고 번호 : 제25100-2020-000085호
신고 일자 : 2020.10.29
주 소 : 서울시 구로구 부일로 985, 101호
전 화 : 02-2688-1561
팩 스 : 0504-200-1561
이메일 : 5morning@naver.com
인쇄소 : TECH D & P(마포구)
값 : 13,000원
ISBN : 979-11-91643-82-4(03040)

에스페란토의 창안자
자멘호프의 세계에스페란토대회 연설모음

자멘호프 연설문집

Paroladoj de Zamenhof

자멘호프(L. L. Zamenhof) 지음
이현희(Onklo) 옮김

진달래 출판사

Referenca libro kaj manskribita manuskripto
(참고도서와 직접 작성한 번역원고)

목차(Enhavo)

번역자의 말

젊은시절 에스페란토를 만난것이 50년이 흐른 지금, 얼마나 다행인가 생각해본다. 1970년, 명지대학교 에스페란토 무료 강습회가 있어서 참여하였다.

그곳에서 마영태 선생님에게서 일주일에 1시간씩, 한달 총 4시간 배운것이 전부였다. 그후, 일본인 다꾸보 히데오라는 친구가, 한국을 방문하여, 처음으로 신기하게 소통이 되어, 그때 에스페란토가 배울 만한 언어라는 것을 알게 되었다. 그후 서로 결혼하여, 일본식구들, 우리집에 놀러왔고, 또 우리 식구도, 일본 지바현, 그 친구 집에, 가서 일주일을 보냈다. 그렇게 세월이 흘러가며, 1994년, 한국 워커힐에서, 세계 대회도 참석했고, 상하이 제1회 아시아 대회도 참석하면서, 뭔가가 이렇게 사람을 모이게하는 것이, 뭔가가 있는데, 하고만 생각했다. 그러던중, 마조리 불턴(M.Boulton) 책, 『Faktoj kaj Fantazioj』를 읽었을 때, 저자가 자멘호프 연설문으로, 자멘호프 박사님을 만나볼 것을 권하였다. 에스페란토를 배운지 반세기가 지난 지금 생각해보면, 한마디로 에스페란토가 행복을 주었고, 삶의 가치와 보람을 주었다고 생각한다. 딸이 독일에서 10년간 유학생활하는 동안, 여러번 유럽을 방문할 수 있었다. 그때마다, 유럽 에스페란티스토들과 연락이 되어, 도움을 받을 수 있었고 독일 헤르츠베르그 에스페란토 마을을 방문할 수도 있었다.

나는 여러분에게 한마디 묻고싶다. 에스페란티스토로써 자멘호프 박사님을 만나본 일이 있는가? 아무리, 에스페란토를 잘해도, 박사님을 만나보지 않은 사람은 진정 에스페란티스토라고 말할 수 없다. 자멘호프 박사님은, 우리 운동이 개인의 힘보다도, 조직의 힘으로 굴러가길 바랬는데, 내 번역이 협회의 이름으로, 협회의 각 개인 성금으로 출판되길 바랬는데, 자멘호프 평화사상은 누구나 다 아는 사실이라고 한마디로 거절되어, 내 컴퓨터에 17년이나 잠을 자고 있었다. 외국 에스페란티스토들도, 에스페란토 말로 통하지만, 자멘호프를 만나지 않은 사람들이 있다는 것을 알게되어, 자멘호프 연설문은 각나라 언어로 번역되어야 한다는 것이, 본인의 생각이다. 에스페란토가 어느 문화에 속하지도 않고, 서로 대등하게, 사투리도 없고, 슬랭도 없는 에스페란토가 세계공용어가 되어야 한다는 생각은 변함이 없다. 자멘호프 사상이 살아있는 한, 에스페란토 언어는 절대 사라지지 않는다는 것이, 필자의 신념이다.

끝으로, 나에게 에스페란토를 가르쳐 준, 지금 말레이지아에 계시는 마영태 선생님에게 감사드리고, 자멘호프 연설문으로, 자멘호프 박사님을 만나볼 것을 권유한 『Faktoj kaj Fantazioj』저자, 마조리 불턴(M.Boulton) 님에게 감사드리고, 자멘호프 박사님 추종자로써, 인생을 보람있고, 가치있게 사는것이 무엇인가를 가르쳐준 자멘호프 박사님께 감사드린다. 이 번역본을 출간하도록 도와준 이남행 님과, 영원히 에스페란토가 존재하도록 연설문집 출판에 직접 힘써주신, 진달래 출판사 오태영 대표님께 감사드리며, 저의 조그마한 노력이 한국 에스페란토 운동에, 도움이 되길 바란다.

2023년 1월   양평에서, 이현희(Onklo)

Parolado antaŭ la Unua Kongreso Esperantista en Boulogne sur Mer en la 5a de aŭgusto 1905

Estimataj sinjorinoj kaj sinjoroj! Mi salutas vin, karaj samideanoj, fratoj kaj fratinoj el la granda tutmonda homa familio, kiuj kunvenis el landoj proksimaj kaj malproksimaj, el la plej diversaj regnoj de la mondo, por frate premi al si reciproke la manojn pro la nomo de granda ideo, kiu ĉiujn nin ligas.(Aplaŭdado) Mi salutas vin ankaŭ, glora lando Francujo kaj bela urbo "Bulonjo-sur-Maro", kiuj bonvole oferis gastamon al nia kongreso. Mi esprimas ankaŭ koran dankon al tiuj personoj kaj institucioj en Parizo, kiuj ĉe mia trapaso tra tiu ĉi glora urbo esprimis sub mia adreso sian favoron por la afero Esperanto, nome al s-ro la ministro de la Publika Instruado, al la Urbestraro de Parizo, al la Franca Ligo de Instruado kaj al multaj diversaj sciencaj eminentuloj.(Aplaŭdado)

Sankta estas por ni la hodiaŭa tago. Modesta estas nia kunveno; la mondo ekstera ne multe scias pri ĝi, kaj la vortoj, kiuj estas parolataj en nia kunveno, ne flugos telegrafe al ĉiuj urboj kaj urbetoj de la mondo; ne kunvenis regnestroj, nek ministroj, por ŝanĝi la politikan karton de la mondo, ne brilas luksaj vestoj kaj multego da imponantaj ordenoj en nia salono, ne bruas pafilegoj ĉirkaŭ la modesta domo, en kiu ni troviĝas; sed tra la aero de nia salono flugas misteraj sonoj, sonoj tre mallaŭtaj, ne aŭdeblaj por la orelo, sed senteblaj por ĉiu animo sentema: ĝi estas la sono de io granda, kio nun naskiĝas. Tra la aero flugas misteraj fantomoj; la okuloj ilin ne vidas, sed la animo ilin sentas; ili estas imagoj de tempo estonta, de tempo tute nova. La fantomoj flugos en la mondon, korpiĝos kaj potenciĝos, kaj niaj filoj kaj nepoj ilin vidos, ilin sentos kaj ĝuos.(Aplaŭdado, krioj: bone! bone! Vivu Zamenhof!)

En la plej malproksima antikveco, kiu jam de longe elviŝiĝis el la memoro de la homaro, kaj pri kiu nenia historio konservis al ni eĉ la plej malgrandan dokumenton, la homa familio disiĝis kaj ĝiaj membroj ĉesis kompreni unu la alian. Fratoj kreitaj ĉiuj laŭ unu modelo, fratoj, kiuj havis ĉiuj egalan korpon, egalan spiriton, egalajn kapablojn, egalajn idealojn, egalan Dion en siaj koroj, fratoj, kiuj devis helpi unu la alian kaj labori kune por la feliĉo kaj la gloro de sia familio, - tiuj fratoj fariĝis tute fremdaj unuj al aliaj, disiĝis ŝajne por ĉiam en malamikajn grupetojn, kaj inter ili komenciĝis eterna milito. En la daŭro de multaj miliaroj, en la daŭro de la tuta tempo, kiun la homa historio memoras, tiuj fratoj nur eterne bataladis inter si, kaj ĉia interkompreniĝado inter ili estis absolute ne ebla. Profetoj kaj poetoj revadis pri ia tre malproksima nebula tempo, en kiu la homoj denove komencos komprenadi unu la alian kaj denove kuniĝos en unu familion: sed tio ĉi estis nur revo. Oni parolis pri tio, kiel pri ia dolĉa fantazio, sed neniu penis ĝin serioze, neniu kredis pri ĝi.

Kaj nun la unuan fojon la revo de miliaroj komencas realiĝi. En la malgrandan urbon de la franca marbordo kunvenis homoj el la plej diversaj landoj kaj nacioj, kaj ili renkontas sin reciproke ne mute kaj surde, sed ili komprenas unu la alian, ili parolas unu kun la alia kiel fratoj, kiel membroj de unu nacio. Ofte kunvenas personoj de malsamaj nacioj kaj komprenas unu la alian; sed kia grandega diferenco estas inter ilia reciproka kompreniĝado kaj la nia! Tie komprenas sin reciproke nur tre malgranda parto da kunvenintoj, kiuj havis la eblon dediĉi multegon da tempo kaj multegon da mono, por lerni fremdajn lingvojn -, ĉiuj aliaj partoprenas en la kunveno nur per sia korpo, ne per sia kapo; sed en nia kunveno reciproke sin komprenas ĉiu, kiu nur deziras nin kompreni, kaj nek malriĉeco, nek nehavado de tempo fermas al iu la orelojn por niaj paroloj. Tie la reciproka kompreniĝado estas atingebla per vojo nenatura, ofenda kaj maljusta, ĉar tie la membro de unu nacio humiliĝas antaŭ membro de alia nacio, parolas lian lingvon, hontigante la sian, balbutas kaj ruĝiĝas kaj sentas sin ĝenata antaŭ sia kunparolanto, dum tiu ĉi lasta sentas sin forta kaj fiera; en nia kunveno ne ekzistas nacioj fortaj kaj malfortaj, privilegiitaj kaj senprivilegiitaj, neniu humiliĝas, neniu sin ĝenas; ni ĉiuj sentas nin kiel membroj de unu nacio, kiel membroj de unu familio, kaj la unuan fojon en la homa historio ni, membroj de la plej malsamaj popoloj staras unu apud alia ne kiel fremduloj, ne kiel konkurantoj, sed kiel fratoj(Aplaŭdoj), kiuj ne altrudante unu al alia sian lingvon, komprenas sin reciproke, ne suspektas unu la alian pro mallumo ilin dividanta, amas sin reciproke kaj premas al si reciproke la manojn ne hipokrite, kiel alinaciano al alinaciano, sed sincere, kiel homo al homo. Ni konsciu bone la tutan gravecon de la hodiaŭa tago, ĉar hodiaŭ inter la gastamaj muroj de Bulonjo-sur-Maro kunvenis ne Francoj kun Angloj, ne Rusoj kun Poloj, sed homoj kun homoj. Benata estu la tago, kaj grandaj kaj gloraj estu ĝiaj sekvoj!(Aplaŭdado)

Ni kunvenis hodiaŭ, por montri al la mondo, per faktoj nerefuteblaj, tion, kion la mondo ĝis nun ne volis kredi. Ni montros al la mondo, ke reciproka kompreniĝado inter personoj de malsamaj nacioj estas tute bone atingebla, ke por ĉi tio tute ne estas necese, ke unu popolo humiligu aŭ englutu alian, ke la muroj inter la popoloj tute ne estas io necesega kaj eterna, ke reciproka kompreniĝado inter kreitaĵoj de tiu sama speco estas ne ia fantazia revo, sed apero tute natura, kiu pro tre bedaŭrindaj kaj hontindaj cirkonstancoj estis nur tre longe prokrastita, sed kiu pli aŭ malpli frue nepre devis veni kaj kiu fine nun venis, kiu nun elpaŝas ankoraŭ tre malkuraĝe, sed, unu fojon ekirinte, jam ne haltos kaj baldaŭ tiel potencege ekregos en la mondo, ke niaj nepoj eĉ ne volos kredi, ke estis iam alie, ke la homoj, la reĝoj de la mondo, longan tempon ne komprenis unu la alian! Ĉiu, kiu diras, ke neŭtrala arta lingvo estas ne ebla, venu al ni, kaj li konvertiĝos. Ĉiu, kiu diras, ke la parolaj organoj de ĉiuj popoloj estas malsamaj, ke ĉiu elparolas artan lingvon alie kaj la uzantoj de tia lingvo ne povas unu la alian, venu al ni, kaj, se li estas homo honesta kaj ne volas konscie mensogi, li konfesos, ke li eraris. Li promenadu en la venontaj tagoj en la stratoj de Bulonjo-sur-Maro, li observadu, kiel bonege sin komprenas reciproke la reprezentantoj de la plej diversaj nacioj, li demandu la renkontatajn Esperantistojn, kiom multe da tempo aŭ mono ĉiu el ili dediĉis por ellerni la artan lingvon, li komparu tion ĉi kun la grandegaj oferoj, kiujn postulas la lernado de ĉiu lingvo natura, - kaj, se li estas homo honesta, li iru en la mondon kaj ripetadu laŭte: "Jes, lingvo arta estas tute ebla, kaj la reciproka kompreniĝado de homoj per neŭtrala arta lingvo estas ne sole tute ebla, sed eĉ tre kaj tre facila." Estas vero, ke multaj el ni posedas nian lingvon ankoraŭ tre malbone kaj malfacile balbutas, anstataŭ paroli frue; sed, komprenante ilian balbutadon kun la perfekte flua parolado de aliaj personoj, ĉiu konscienca observanto facile rimarkos, ke la kaŭzo de la balbutado kuŝas ne en la lingvo, sed nur en la nesufiĉa ekzerciteco de la diritaj personoj.

Post multaj miliaroj da reciproka surda-muteco kaj batalado, nun en Bulonjo-sur-Maro fakte komenciĝas en pli granda mezuro la reciproka kompreniĝado kaj fratiĝado de la diverspopolaj membroj de la homaro; kaj unu fojon komenciĝinte, ĝi jam ne haltos, sed iradas antaŭen ĉiam pli kaj pli potence, ĝis la lastaj ombroj de la eterna mallumo malaperas por ĉiam. Gravegaj estas la nunaj tagoj en Bulonjo-sur-Maro, kaj ili estu benataj! (Aplaŭdado)

En la unua kongreso de la Esperantistoj estas necese diri kelkajn vortojn pri la ĝisnunaj batalantoj de nia afero. Sed antaŭ ol mi parolos pri la batalantoj speciale Esperantaj, mi sentas la devon diri ĉi tie kelkajn vortojn pri unu homo, kiu havas tre grandajn meritojn en nia afero kaj al kiu bedaŭrinde la Esperantistoj ofte rilatas maljuste nur tial, ĉar li, multe farinte por la ideo de lingvo internacia ĝenerale, ne apartenas tamen al la amikoj de tiu speciala lingva formo, por kiu ni batalas. Mi parolas pri la tre estiminda sinjoro Johann Martin Schleyer, la aŭtoro de Volapük. La lingva formo, por kiu laboris tiu respektata maljunulo, montriĝis ne bona, kaj la afero, por kiu li batalis, baldaŭ falis, kaj per sia falo ĝi alportis grandan malutilon al nia ideo entute kaj precipe al tiu speciala formo de la ideo, por kiu ni batalas. Sed ni devas esti justaj, ni devas taksi ĉiun homon ne laŭ lia venko aŭ malvenko, sed laŭ liaj laboroj. Kaj la laboroj kaj meritoj de sinjoro Schleyer estis tre grandaj. Kun granda fervoro li laboris por la ideo de lingvo internacia en la daŭro de multaj jaroj; dum multaj personoj donadis nur nudajn projektojn, li estis unua, kiu havis sufiĉe da pacienco, por ellabori plenan lingvon de la komenco ĝis la fino (kvankam Esperanto tiam estis jam preta, ĝi ne estis ankoraŭ publikigita), kaj ne estas lia kulpo, se la lingvo montriĝis ne praktika. Li estis la unua, kiu per senlaca laborado vekis la intereson de la mondo por la ideo de lingvo neŭtrala, kaj ne estas lia kulpo, se lia falinta afero por longa tempo malvarmigis la mondon por ĉia arta lingvo. Li volis fari grandan bonon, kaj por la atingo de tiu bono li laboris tre multe kaj fervore, kaj ni devas lin taksi ne laŭ lia sukceso, sed laŭ lia volo kaj laboro. Se la ideo de lingvo internacia iam la venkos la mondon - tute egale, ĉu ĝi estos sub la formo de Esperanto aŭ de ia alia lingvo - la nomo de Schleyer okupos ĉiam la plej honoran lokon en la historio de nia ideo, kaj tiun ĉi nomon la mondo neniam forgesos. Mi esperas, ke mi esprimos la opinion de ĉiuj partoprenantoj en nia kongreso, se mi diros: "Ni esprimas nian koran dankon al sinjoro Schleyer, la unua kaj plej energia pioniro de la ideo de neŭtrala lingvo internacia!" (Aplaŭdado)

Nun mi transiros al la laborantoj speciale Esperantistaj. Ne venis ankoraŭ la tempo skribi oficialan historion de nia afero, kaj mi timas, ke mi povus fari ian publikan maljustaĵon al tiu aŭ alia persono ĉe la kompara taksado de la meritoj de la diversaj batalantoj. Tial mi ne nomos ĉiun el ili aparte, sed al ĉiuj kune mi esprimas koran dankon pri ilia laborado en la nomo de ĉiuj amikoj de Esperanto. (Aplaŭdado) Dek ok jaroj pasis de la tago, kiam Esperanto aperis en la mondo. Ne facilaj estis ĉi tiuj dek ok jaroj. Nun mi vidas antaŭ mi grandegan nombron da varmegaj amikoj de Esperanto, kiuj reprezentas per si preskaŭ ĉiujn landojn de la tera globo, preskaŭ ĉiujn naciojn de la mondo, ĉiujn rangojn, statojn kaj klasojn de la homoj. Tre granda kaj vasta estas jam nia literaturo, tre multaj estas niaj gazetoj, en la tuta mondo ni havas nun grupojn kaj klubojn Esperantistajn, kaj al neniu klera homo en la mondo la nomo de nia afero nun estas jam nekonata. Kiam mi rigardas la nunan brilantan staton de nia afero, mi rememoras kortuŝite pri la unuaj pioniroj, kiuj laboris por nia afero en tiu malĝoja tempo, kiam ni ĉie renkontadis ankoraŭ nur mokon kaj persekuton. Multaj el ili vivas ankoraŭ kaj ili rigardas nun kun ĝojo la fruktojn de sia laborado. Sed ho ve, multaj el niaj pioniroj jam ne vivas. Dek ok jaroj estas granda peco da tempo. En tiu ĉi granda spaco da tempo la morto rabis al ni tre multe el niaj fervoraj kunbatalantoj. Citi ĉiujn nomojn estus nun afero ne ebla; mi nomos nur kelkajn el ili. La plej frue forlasis nin Leopoldo Einstein, (Aplaŭdado) la unua energia propagandisto de nia afero; lia morto estis granda bato por nia afero entute, kaj speciale por ĝia disvastiĝado en Germanujo. Poste la morto rabis al ni Jozefon Wasniewski, (Aplaŭdado) la simpatian kaj de ĉiuj amatan apostolon de nia afero en Polujo. Kaj antaŭ kelke da jaroj mortis tiu persono, al kiu Esperanto ŝuldas multe, tre multe kaj sen kiu nia afero nun eble tute ne ekzistus: mi parolas pri la neforgesebla W.H.Trompeter. (Aplaŭdado) Neniam parolante pri si, postulante por nenian dankon, li prenis sur siajn ŝultrojn nian tutan aferon, kiam ĝi troviĝis en la plej malfacilaj cirkonstancoj; li sola subtenadis ĝin tiel longe, ĝis la nombro de la Esperantistoj fariĝis sufiĉe granda, por subtenadi la aferon per fortoj komunaj. Kiel li ĝojus nun, se li vidus la nunan staton de nia afero!

Krom la nomitaj tri personoj estas ankoraŭ granda, ho ve, tre granda nombro da personoj, kiuj multe laboris por nia afero kaj ne povas vidi la fruktojn de siaj laboroj. Ili mortis korpe, sed ili ne mortis en nia memoro. Mi proponas,

estimataj sinjorinoj kaj sinjoroj, ke ni honoru
ilian memoron per leviĝo de niaj seĝoj. (la
aŭskultantoj leviĝas) Al la ombroj de ĉiuj
mortintaj batalantoj Esperantistaj la unua
kongreso Esperantista esprimas sian respekton
kaj pian saluton. (Longa aplaŭdado)

Baldaŭ komenciĝos la laboroj de nia kongreso,
dediĉita al vera fratiĝo de la homaro. En tiu ĉi
solena momento mia koro estas plena de io
nedifinebla kaj mistera, kaj mi sentas la deziron
faciligi la koron per ia preĝo, turni min al iu
plej alta forto kaj alvoki ĝian helpon kaj benon.
Sed tiel same kiel mi en la nuna momento ne
estas ia naciano, sed simpla homo, tiel same mi
ankaŭ sentas, ke en tiu ĉi momento mi ne
apartenas al ia nacia aŭ partia religio, sed mi
estas nur homo. Kaj en la nuna momento staras
inter miaj animaj okuloj nur tiu alta morala
Forto, kiun sentas en sia koro ĉiu homo, kaj al
tiu ĉi nekonata Forto mi turnas min kun mia
preĝo:

Al Vi, ho potenca senkorpa mistero,
Fortego, la mondon reganta,
Al Vi, granda fonto de l' amo kaj vero

Kaj fonto de vivo konstanta,
Al Vi, kiun ĉiuj malsame prezentas,
Sed ĉiuj egale en koro Vin sentas,
Al Vi, kiu kreas, al Vi kiu reĝas,
Hodiaŭ mi preĝas.
Al Vi ni ne venas kun kredo nacia,
Kun dogmoj de blinda fervoro:
Silentas nun ĉiu disput' religia
Kaj regas nur kredo de koro.
Kun ĝi, kiu estas ĉe ĉiuj egala,
Kun ĝi, la plej vera, sen trudo batala,
Ni staras nun, filoj de l' tuta homaro
Ĉe via altaro.
Homaron Vi kreis perfekte kaj bele,
Sed ĝi sin dividis batale;
Popolo popolon atakas kruele,
Frat' fraton atakas ŝakale,
Ho, kiu ajn estas Vi, forto mistera,
Aŭskultu la voĉon de l'preĝo sincera,
Redonu la pacon al la infanaro
De l'granda homaro!
Ni ĵuris labori, ni ĵuris batali,
Por reunuigi l' homaron.
Subtenu nin, Forto, ne lasu nin fali,
Sed lasu nin venki la baron;
Donacu Vi benon al nia laboro,

Donacu Vi forton al nia fervoro,
Ke ĉiam ni kontraŭ atakoj sovaĝaj
Nin tenu kuraĝaj.
La verdan standardon tre alte ni tenos:
Ĝi signas la bonon kaj belon.
La Forto mistera de l' mondo nin benos,
Kaj nian atingos ni celon.
Ni inter popoloj la murojn detruos,
Kaj ili ekkrakos kaj ili ekbruos,
Kaj falos por ĉiam, kaj amo kaj vero
Ekregos sur tero.

1차 에스페란토 세계 대회

일시 : 1905.8.5
장소 : 불로뉴 쉬르메르(프랑스)

친애하는 숙녀, 신사 여러분! 우리 모두를 연결하는 커다란
사상의 이름으로 형제로써 손을 잡기위하여, 세계의 여러
나라에서, 가깝고 먼 나라에서 모이신 커다란 전 세계 인
간, 가족이신 친애하는 동지, 형제, 자매이신 여러분에게
인사드립니다. 나는 또한 우리대회에 손님에 대한 환대를
기꺼이 제공한 아름다운 도시 불로뉴 쉬르메르, 그리고 영
광스런 나라 프랑스, 당신들에게도 인사드립니다.
우리 에스페란토를 위하여 이 영광된 도시를 통하여 지나
갈 즈음에 나에게 자신의 호의를 표하신 파리에 있는 그
사람들에게, 또는 기관들에게 즉, 문교부 장관, 파리의 시
장, 프랑스의 교사연맹, 그리고 많은 유능한 과학자들에게,
저는 또한 마음의 감사를 표하는 바입니다.(박수)

오늘은 우리를 위한 신성한 날입니다. 우리의 모임은 겸손
합니다. 바깥세상은 그것에 대하여 많이 알지 못 합니다.
그리고 우리모임에서 하는 말은 전보로 모든 도시에, 세상
의 작은 도시로 날아가지 않을 것입니다.
세상의 정치적인 위기를 변화하기 위하여 국가 원수도, 장
관도 모이지 않았습니다. 우리의 홀에서는 화려한 옷도 많

은 웅대한 훈장도 빛나지 않습니다.

우리가 있는 겸손한 집주위에는 예포소리로 시끄럽지도 않고; 그러나 우리 홀의 공기를 통하여 신비한 소리가 날아갑니다. - 아주 낮은 소리가 - 귀로 들을 수 없는 그러나 모든 예민한 마음으로 느낄 수 있는. 그것은 지금 태어난 커다란 것의 소리입니다. 공기를 통하여 신비한 환영이 날아다닙니다. 눈은 그것들을 볼 수 없고, 그러나 마음은 그것들을 느낍니다. 그들은 전혀 새로운 시대의, 미래의 상상입니다. 그 환영들은 세상 속으로 날아들어서 몸체를 갖게되고 권능을 갖게 될 것입니다. 그리고 우리의 아들과 손자들이 그것들을 볼 것이고 그것들을 느끼고 즐길 것입니다.(박수, 외침: 좋아요! 좋아요! 자멘호프 만세!)

이미 오래전에 인류의 기억에서 사라진, 그리고 역사는 심지어 아주 작은 서류도 남겨 놓지 않은 아주 오랜 옛날에 인간 가족이 흩어졌고, 그리고 그것의 구성원들이 서로를 이해하지 못하게 되었습니다. 하나의 모델로 모두, 그들 모두 똑같은 육체를, 똑같은 정신을, 똑같은 능력을, 똑같은 이상을, 똑같은 신을 마음속에 갖고 있는 형제들, 그들은 서로를 도와야 했고 자기 가족의 행복과 영광을 위하여, 함께 일해야 했던 - 그 형제들이 서로에게 낯설게 되었고, 어쩌면 적대감을 갖는 집단이 되어 영원히 나뉘어져 있을지도 모릅니다. 그리고 그들 사이에 영원한 전쟁이 시작되었습니다.

수 천년동안 내내 인류의 역사가 기억되는 한 그 형제들이 그들 사이에 오직 영원히 싸우고 싸웠습니다. 그리고 그들 사이에 모든 이해는 절대적으로 불가능하였습니다.

예언자와 시인들은 어떤 아주 머나먼 미래의 안개 낀 시대에 대해서, 그 시대의 사람들이 또다시 이해하고, 또다시 한 가족으로 뭉쳐질 그 날을 공상만 하였습니다.

사람들은 그것에 대하여, 어떤 달콤한 환상처럼 말했습니다. 그러나 아무도 심각하게 생각하지 않았고, 또 믿지도 않았습니다.

그리고 지금 처음으로 수천 년의 공상이 현실화하기 시작했습니다. 여러 나라와 민족에게서 온 사람들이 프랑스 해변의 작은 도시로 모였습니다. 그리고 그들은 말도 못하고, 알아듣지도 못하고가 아닌 서로를 만났습니다. 그러나 그들은 서로를 이해했습니다.

그들은 형제, 한 민족의 구성원처럼 말했습니다. 종종 다른 민족의 사람들이 모입니다. 그리고 서로를 이해합니다.

그러나 그들의 상호 이해와, 우리의 그것 사이에 어떤 커다란 차이가 있습니까?

외국어를 배우기 위하여, 많은 시간과 많은 돈을 바칠 가능성을 가진 오직 소규모의 사람들이 거기에서 서로를 이해합니다. 다른 모두는 자신의 머리로써가 아닌, 오직 자신의 몸으로써 모임에 참석하였습니다. 그러나 우리의 모임에서는 모든 참석자가 서로를 이해합니다.

우리를 이해하길 바라는 사람 모두 우리를 쉽게 이해합니다. 그리고 가난도 아니고, 시간이 없음도 아닌 우리의 말을 위하여 어느 누구의 귀도 막지 못합니다.

거기에서는 서로의 이해가 자연스럽지 않은, 굴욕적인, 공정하지 않은 방법으로 이루어 질수 있습니다. 왜냐하면 거기에서 한 민족의 구성원이 다른 민족의 구성원 앞에 저자세이고, 그의 언어를 말하고, 자신의 언어를 수치스러워 하며, 더듬거리고, 그리고 얼굴이 빨개지고 그리고 상대방 앞에서 거북함을 느낍니다. 한편 다른 상대방은 도도하고 의기양양함을 느낍니다.

우리에게는 특권을 받는, 특권이 없는 강한 민족도 약한 민족도 존재하지 않습니다. 아무도 자신을 낮추지 않고, 누구도 자신을 수치스러워 하지 않습니다.

우리 모두는 중립적인 기초위에 서 있습니다. 우리 모두는 완전히 평등 합니다. 우리 모두는 한민족의 구성원처럼 한 가족의 구성원처럼 느낍니다.

그리고 역사상 처음으로 가장 다른 국민의 구성원인 우리가 낯선 사람으로서가 아니라, 경쟁자로서가 아니라 그러나 형제로서 옆에 서 있습니다.(박수) 형제들은 서로에게 자기의 언어를 강요하지 않고 서로를 이해합니다.

그들을 갈라놓은 어둠 때문에 서로를 의심하지 말고, 서로를 사랑하고 그리고 다른 민족과 다른 민족으로서 위선적이 아닌 인간 대 인간으로 성실하게 서로 악수합니다.(박수) 우리는 오늘의 전체 중요함을 잘 인식합시다.

왜냐하면 오늘 불로뉴 쉬르메르의 손님을 환대하는 벽 사이에 프랑스인과 영국인이 아닌, 러시아인과 폴란드인이 아닌 그러나 인간 대 인간으로 모였기 때문입니다.

그날은 축복을 받을 것입니다.

그리고 그의 후손들은 위대하고 영광될 것입니다.(박수)

우리는 지금까지 세상이 믿고 싶지 않았던 것을 논박할 수 없는 사실로써 세상에 보이기 위하여 오늘 모였습니다.

우리는 다른 민족의 사람들과 사이의 서로의 이해는 아주 잘 이루어 질 수 있다는 것을 세상에 보여줄 것입니다.

이것을 위하여 한 국민이 다른 국민을 창피를 주거나 모욕을 주는 것이 전혀 필요하지 않다는 것과, 국민들 사이의 벽은 전혀 필요한 것도, 영원한 것도 아니라는 것과, 같은 종자인 피조물 간의 서로 이해는 어떤 환상적인 공상도 아니고, 그러나 자연스런 출현이고, 그 출현은 유감스러운 창피스러운 조건 때문에 오직 아주 오랫동안 연기되었습니다.

그러나 그 출현은 다소 일찍이 왔어야 했는데, 그리고 그것은 끝내 지금 왔습니다.

그것은 지금 아직도 아주 미약하게 걸어가고 있습니다.

그러나 한번 출발한 후에 이미 멈추지 않을 것이고 그리고 머지않아 그렇게 당당하게 세상에 존재할 것입니다.

우리의 손자들이 세상의 만물의 영장인 사람들이 오랫동안 서로를 이해 못하였던 그런 때가 달리 있었다는 것을 심지어 믿고 싶지 않을 것입니다.

중립적인 인공어가 불가능하다고 말하는 사람 모두 우리에게 오십시오. 그리고 그는 생각이 바뀔 것입니다.

모든 국민의 입의 구조가 다르다고 말하고, 모두가 인공어를 달리 말한다고 말하는, 그리고 그 언어의 사용자들이 서로를 이해할 수 없다고 말하는 사람 모두, 우리에게 오십시오.

그리고 만일 그가 정직한 사람이고, 그리고 의식적으로 거짓말을 하지 않는 사람이라면 그가 잘못했다는 것을 고백

할 것입니다. 그를 다음 달에 불로뉴 쉬르메르의 거리에 산책하게 하십시오.

그가 가장 다른 민족의 대표자들이 서로 얼마나 잘 이해할 수 있는가를 관찰하게 하십시오.

그가 만나는 에스페란티스토들에게 얼마나 많은 시간과 돈을 인공어를 배우기 위하여 바쳤는가를 물어보게 하십시오. 그에게 이것과 모든 자연어를 배우는데 요구하는 커다란 노력과 비교하게 하십시오.

그리고 그가 만일 정직한 사람이라면 그를 세상에 큰소리로 반복하면서 다니게 하십시오.

"예, 인공어는 아주 가능하고 그리고 중립적인 인공어로써 인간의 상호 이해는 단지 아주 가능할 뿐만 아니라, 그러나 심지어 아주 쉬운 것입니다."

우리의 대다수가 우리의 언어를 아직도 잘 못하고 능숙하게 말하는 대신 그리고 힘들게 더듬거리는 것이 사실입니다. 그러나 그들의 더듬거림과 다른 사람들의 완벽하게 말하는 것과 비교하면 모든 양심적인 관찰자들은 더듬거림의 원인은 언어에 있지 않고 말하는 사람의 불충분한 연습에 있다는 것을 쉽게 알아차릴 것입니다.

수천 년의 언어의 불통으로 인한 싸움 후에 지금 불로뉴 쉬르메르에서는 여러 국민의 구성원 사이에 커다란 범위의 인류의 서로의 이해와 형제가 됨이 시작되었습니다.

그리고 한번 시작한 것은, 더 이상 멈추지 않을 것이고, 그러나 영원히 어두움의 마지막 그림자가 사라질 때까지 더욱 더 항상 앞으로 권위 있게 나갈 것입니다.

"불로뉴 쉬르메르의 오늘은 중요하고 그리고 그날은 축복 받을 것입니다." (박수)

에스페란티스토들의 첫 번째 대회에서 우리의 노력에 대한 지금까지의 투사들에 대하여 몇 마디 말하는 것이 필요합니다.

그러나 특별히 에스페란토 투사들에 대하여 말하기 전에 우리의 일에 커다란 공적을 가진, 그러나 그는 국제어의 사상을 위하여 많은 일을 하였지만 우리가 싸우는 그 특별한 언어의 형태에 속하지 않았다는 이유로 에스페란티스토들이 불공정하게 대한 한 사람에 대하여 몇 마디를 해야 하는 의무를 느낍니다. 나는 볼라퓌크의 저자, 존경할만한 요한 마르틴 슐라이어 선생에 대하여 언급하고자 합니다.

그 존경 받는 노인이 노력한 그 언어의 형태는 그렇게 좋아 보이지는 않았습니다.

그것을 위하여 그가 노력한 그 일은 머지않아 실패했습니다. 그리고 자신의 실패로써 그것은 우리 사상의 전체에, 특히 우리가 노력하는 그 이상의 특별한 형태에게 커다란 무용론을 가져왔습니다. 그러나 우리는 공정해야 합니다.

모든 사람을 그의 승리나, 패배로써가 아니고, 그러나 그의 일에 따라서 모든 사람을 평가해야 합니다. 슐라이어 선생의 노력이나 공적은 대단한 것입니다.

많은 사람들이 무용한 계획안을 내놓는 동안 그는 대단한 노력으로 국제어 사상을 위해서 수년 동안 노력했습니다.

그는 처음부터 마지막까지 완전한 언어를 만들기 위하여 충분한 인내심을 가진 첫 번째 사람이었습니다.(에스페란토는 그때, 이미 준비되었지만, 그것은 그때까지는 발표되지 않았다).

그리고 만일 그 언어가 실용적이지 않게 보였다면 그의 잘못이 아닙니다. 그는 중립어의 사상을 위하여 지칠 줄 모르는 노력으로써 세상에 흥미를 일깨운 첫 번째 사람이었습니다. 만일 그의 신패한 일이 모든 인공이를 위하여 오랫동안 세상을 냉각시켰다면 그의 잘못이 아닙니다.

그는 커다란 선을 행하고 싶었고, 그리고 그의 선의 도달을 위하여 대단히 많이 그리고 열심히 일했습니다.

그리고 우리는 그를 성공으로써가 아닌 그의 뜻과 일로써 평가해야 합니다.

국제어 사상이 언젠가 세상에서 승리한다면 그것이 전혀 똑같은 에스페란토의 형태이든지, 아니면 다른 언어이든지, 슐라이어 선생의 이름은 우리 사상의 역사에서 항상 가장 명예스러운 위치를 차지할 것입니다.

그리고 세상은 절대 그의 이름을 잊지 않을 것입니다.

나는 우리대회에서 우리 모두 참석자들의 의견을 제가 언급하기를 희망합니다.

제가 말하면, "우리는 중립적인 국제어의 첫 번째 가장 정력적 개척자이신 슐라이어 선생에게 마음의 고마움을 표현합니다." (박수)

지금 저는 특히 에스페란티스토 일꾼들에 대하여 언급하고자 합니다. 우리 일의 공식적인 역사를 쓸 시간이 아직 오지 않았습니다.

그리고 나는 여러 투사들의 공적을 비교할 즈음 그 사람 또는 다른 사람을 제가 어떤 공개적으로 부당하게 판단하는 것이 두렵습니다.

그래서 나는 그들 모두를 따로 이름을 부르지 않을 것입니다. 그러나 에스페란토의 모든 친구들의 이름으로 모두에게 그들의 노력에 대해서 저는 마음의 고마움을 표시합니다.(박수)

에스페란토가 세상에 나온 후로 18년이 되였습니다.

이 18년은 순조롭지 않았습니다.

저는 제 앞에 수많은 뜨거운 에스페란토 친구들을 봅니다.

그들은 자신으로 지구의 모든 나라들, 세상의 모든 민족들의, 모든 계급, 신분, 인간의 계층을 대표합니다.

이미 우리의 문학은 매우 크고 넓어 졌습니다.

우리들의 잡지는 매우 많습니다. 전 세계에 우리는 지금 에스페란티스토들의 그룹을 클럽을 갖고 있습니다.

그리고 모든 현명한 세상의 사람들은 우리의 이름을 다 알고 있습니다.

제가 지금 우리의 노력의 눈부신 상태를 바라볼 때, 저는 도처에서 아직도 조롱과 학대를 당했던 그 슬픈 시간에 우리 일을 위하여 노력한 최초의 개척자들을 감동적으로 상기합니다.

그들 중 많은 이들이 아직 살아있고 그리고 그들은 지금 기쁨으로 자신들이 노력한 결실을 바라봅니다. 그러나 호 - 저런, 우리의 개척자들의 대다수가 이미 살고 있지 않습니다. 18년은 커다란 시간의 부분입니다.

이 커다란 시간의 공간에서 죽음은 우리에게 우리의 열심히 일한 동지들로부터 많은 것을 빼 앗았습니다.

모든 이름을 거론하는 것은 불가능한 일입니다.

나는 그들 몇 명의 이름은 부를 것입니다.

아주 일찍이 우리의 일의 가장 정력적인 첫 번째 보급자 레오폴드 아인슈타인이 우리 곁을 떠났습니다.(박수) 그의 죽음은 우리의 일을 위하여 전부, 특히 독일에서의 보급을 위하여 커다란 충격이었습니다.

그 죽음 후에 폴란드에서 우리의 일을 위한 모두로부터 사랑받는 그 친근한 사도 요제포 와스니스키를 빼앗아 갔습니다.(박수)

그리고 몇 년 전에 에스페란토가 매우 많이 빚을 진 그 사람이 죽었습니다. 그이 없이는 우리의 일은 아마도 전혀 존재하지 않았을 것입니다. 나는 잊을 수 없는 트롬페테르 씨에 대해서 말합니다.(박수)

자신에 대해서 전혀 말하지 않고 자신을 위해서 아무런 보상도 요구하지 않고 그것이 가장 어려운 환경에 처해 있을 때 우리 일의 전부를 그는 어깨에 짊어졌습니다.

그는 혼자서 공동의 힘으로 그 일을 지지하기 위하여 에스페란토의 숫자가 충분히 클 때까지 그 일을 지지했습니다. 만일 그가 우리 일의 지금의 상태를 본다면, 그는 얼마나 좋아하겠습니까?

위에 언급한 세 사람 외에 아직도 많은 사람들이 있습니다. 호, 저런, 많은 사람들. 그들은 우리의 일을 위하여 많은 일을 했습니다. 그리고 자신의 일의 결실을 보지 못했습니다. 그들은 육체적으로 죽었습니다.

그러나 그들은 우리의 기억 속에 죽지 않았습니다.

나는 제의합니다. 친애하는 신사 숙녀 여러분 ,

우리들은 의자에서 일어섬으로써 우리가 그들의 기억을 명예롭게 합시다.(모든 청중이 일어선다) 에스페란티스토들의 죽은 전사자들의 그림자에게 에스페란토 첫 번째 대회는 자신의 존경과 그리고 경건한 인사를 표현합니다.(긴 박수)

머지않아 정말로 인류의 형제애에 바쳐진 우리 대회의 일들이 시작될 것입니다.

이 장엄한 순간에 저의 마음은 형언할 수 없는 그리고 신비한 것으로 채워져 있습니다.

그리고 저는 어떤 가장 높은 힘을 향해서, 어떤 기도로써 내 마음을 편하게 할, 그리고 그것의 도움과 선을 부를 욕망을 느낍니다.

그러나 저는 지금의 순간에 어느 민족의 한 사람도 아니고 단순한 사람인 것처럼 그렇게 저는 또한 이 순간에 제가 어느 민족의 또는 종교 단체에 속하지 않고, 단지 저는 사람이라는 것을 느낍니다.

그리고 지금 이 순간에도, 모든 사람이 자신들의 마음에 느끼는 오직 그 높은 도덕적인 힘이 우리의 정신적인 눈들 사이에 서있고 그리고 이 모르는 힘에게 나는 나의 기도[1]로써 나 자신을 돌립니다.

오, 거대한 무형의 신비,
세상을 지배하는 힘,
사랑과 진리의 원천,

---

1) 『자멘호프 원작시집』 남희정 편. 2003년 한국에스페란토협회 52쪽

무한한 삶의 샘물이시여,
모두 다르게 말하지만
모든 마음 속에 동일하게 존재하여
세상을 창조하고 지배하시는 당신께,
오늘 우리는 기도드립니다.

민족적 신념이나 맹목적 광기의 신조들은 떨쳐 버리고
오늘 우리는 당신을 향해 섰습니다.
종교적 논쟁은 잠잠하고
지금은 오직 마음 속 신념만이 우리를 지배합니다.
모두에게 평등하고
전쟁의 강요 없는 가장 진실한 믿음으로
온 인류의 자녀인 우리는
지금 당신의 제단 앞에 섰습니다.

온전하고 아름답게 인간을 창조했으되,
인간들은 전쟁으로 스스로를 갈라 놓았고,
민족은 민족을 잔인하게 공격하고,
형제는 형제들과 늑대처럼 싸워댑니다.
오, 신비의 힘이시여,
당신이 누구이시든
우리의 신실한 기도를 들으사
당신의 자녀들께 평화를 주시옵소서.

인류가 하나 되기 위해
일하고 싸우기를 서언하오니

힘이시여, 우리를 붙들어 쓰러지지 않게 하시고
승리의 길로 인도하소서.
우리의 일들을 축복해 주시고
우리의 열정에 강건함을 더하사
저들의 야만적 공격에
항상 담대할 수 있도록 붙드소서.

참과 선의 상징,
녹성기를 우리는 높이 듭니다.
세상을 지배하는 신비의 권능이 축복하시어
우리는 목표를 달성하고야 말 것입니다.
민족 간의 장벽들을 갈라 쳐 버릴 때
장벽들은 진동하며 거대한 굉음으로
부서져 무너질 것입니다.
사랑과 진리가 이 땅을 지배할 것입니다.

Parolado antaŭ **la Dua Kongreso** Esperantista en Genève en la 28a de aŭgusto 1906

Estimataj sinjorinoj kaj sinjoroj! Mi esperas, ke mi plenumos la deziron de ĉiuj alestantoj, se en la momento de la malfermo de nia dua kongreso mi esprimos en la nomo de vi ĉiuj mian koran dankon al la brava Svisa lando por la gastameco, kiun ĝi montris al nia kongreso, kaj al lia Moŝto la Prezidanto de la Svisa Konfederacio, kiu afable akceptis antaŭ du monatoj nian delegitaron. Apartan saluton al la urbo Ĝenevo, kiu jam multajn fojojn glore enskribis sian nomon en la historion de diversaj gravaj internaciaj aferoj.

Permesu al mi ankaŭ esprimi en la nomo de vi ĉiuj koran dankon al la organizintoj de la nuna kongreso, al la sindonaj Svisaj Esperantistoj, kiuj tiel multe kaj senlace laboris en la daŭro de la pasinta jaro, fondis preskaŭ en ĉiuj urboj de la Svisa landogrupojn Esperantistajn kaj diligente faris ĉion, kion ili povis, por sukcesa pretigo de nia kongreso; al la Provizora Centra Organiza Komitato, kiu precipe en la persono de sia prezidanto tiel energie laboris kaj tiel diligente zorgis pri ĉiuj preparoj; fine - sed certe ne malplej grave - al tiuj kaŝitaj amikoj, kiuj per malavara fondo de la Centra Oficejo donis fortikan fundamenton por ĉiuj plej gravaj laboroj.

Sinjorinoj kaj sinjoroj! Ĉe la malfermo de nia kongreso vi atendas de mi ian parolon; eble vi atendas de mi ion oficialan, ion indiferentan, palan kaj senenhavan, kiel estas ordinare la oficialaj paroloj. Tian parolon mi tamen ne povas doni al vi. Mi ĝenerale ne amas tiajn parolojn, sed precipe nun, en la nuna jaro, tia senkolora oficiala parolo estus granda peko de mia flanko. Mi venas el lando, kie nun multaj milionoj da homoj malfacile batalas por libereco, por la plej elementa homa libereco, por la rajtoj de homo. Pri tio ĉi mi tamen ne parolus al vi; ĉar se kiel privata homo ĉiu el vi eble sekvas kun intereso la malfacilan bataladon en la granda multemiliona lando, tamen kiel Esperantistojn tiu ĉi batalado ne povus vin tuŝi, kaj nia kongreso havas nenion komunan kun aferoj politikaj. Sed krom la batalado pure politika, en la dirita lando estas nun farata io, kio nin kiel Esperantistojn ne povas ne tuŝi: ni vidas en tiu lando kruelan bataladon inter la gentoj. Tie ne homo de unu lando pro politikaj patrolandaj interesoj atakas homojn de alia lando - tie la naturaj filoj de sama lando ĵetas sin kiel kruelaj bestoj kontraŭ la tiel same naturaj filoj de tiu sama lando nur tial, ĉar ili apartenas al alia gento.

Ĉiutage estingiĝis tie multe da homaj vivoj per batalado politika, sed multe pli da homaj vivoj estingiĝas tie ĉiutage per batalado intergenta. Terura estas la stato de aferoj en la multelingva Kaŭkazo, terura estas la stato en la Okcidenta Rusujo. Malbenita, milfoje malbenita estu la intergenta malamo! Kiam mi estis ankoraŭ infano, mi, en la urbo Bielostok, rigardadis kun doloro la reciprokan fremdecon, kiu dividas inter si la naturajn filojn de sama lando kaj sama urbo. Kaj mi revis tiam, ke pasos certa nombro da jaroj, kaj ĉio ŝanĝiĝos kaj boniĝos. Kaj pasis efektive certa nombro da jaroj, kaj anstataŭ miaj belaj sonĝoj mi ekvidis teruran efektivaĵon: en la stratoj de mia malfeliĉa urbo de naskiĝo sovaĝaj homoj kun hakiloj kaj feraj stangoj sin ĵetis kiel plej kruelaj bestoj kontraŭ trankvilaj loĝantoj, kies tuta kulpo konsistis nur en tio, ke ili parolis alian lingvon kaj havis alian gentan religion, ol tiuj ĉi sovaĝuloj. Pro tio oni frakasis la kraniojn, kaj elpikis la okulojn al viroj kaj virinoj, kadukaj maljunuloj kaj senhelpaj infanoj! Mi ne volas rakonti al vi la terurajn detalojn de la bestega Bielostoka buĉado; al vi kiel al Esperantistoj mi volas nur diri, ke terure altaj kaj dikaj estas ankoraŭ la interpopolaj muroj, kontraŭ kiuj ni batalas.

Oni scias, ke ne la Rusa gento estas kulpa en la besta buĉado en Bielostok kaj multaj aliaj urboj, ĉar la Rusa gento neniam estias kruela kaj sangavida; oni scias, ke ne la Tataroj kaj Armenoj estas kulpaj en la konstanta buĉado, ĉar ambaŭ gentoj estas gentoj trankvilaj, ne deziras altrudi al iu sian regadon, kaj la sola, kion ili deziras, estas nur, ke oni lasu ilin trankvile vivi. Oni scias nun tute klare, ke kulpa estas aro da abomenindaj krimuloj, kiuj per diversaj kaj plej malnoblaj rimedoj, per amase dismetataj mensogoj kaj kalumnioj arte kreas teruran malamon inter unuj gentoj kaj aliaj. Sed

- 38 -

ĉu la plej grandaj mensogoj kaj kalumnioj povus doni tiajn terurajn fruktojn, se la gentoj sin reciproke bone konus, se inter ili ne starus altaj kaj dikaj muroj, kiuj malpermesas al ili libere komunikiĝadi inter si kaj vidi, ke la membroj de aliaj gentoj estas tute tiaj samaj homoj, kiel la membroj de nia gento, ke ilia literaturo ne predikas iajn terurajn krimojn, sed havas tiun saman etikon kaj tiujn samajn idealojn kiel nia? Rompu, rompu la murojn inter la popoloj, doni al ili la eblon, libere konatiĝi kaj komunikiĝi sur neŭtrala fundamento, kaj nur tiam povos malaperi tiaj bestaĵoj, kiujn ni nun vidas en diversaj lokoj!

Ni ne estas tiel naivaj, kiel pensas pri ni kelkaj personoj; ni ne kredas, ke neŭtrala fundamento faros el la homoj anĝelojn; ni scias tre bone, ke la homoj malbonaj ankaŭ poste restos malbonaj; sed ni kredas, ke komunikiĝado kaj konatiĝado sur neŭtrala fundamento forigos almenaŭ la grandan amason de tiuj bestaĵoj kaj krimoj, kiuj estas kaŭzataj ne de malbona volo, sed simple de sinnekonado kaj de devigata sinaltrudado.

Nun, kiam en diversaj lokoj de la mondo la

batalado inter la gentoj fariĝis tiel kruela, ni, Esperantistoj, devas labori pli energie ol iam. Sed por ke nia laborado estu fruktoporta, ni devas antaŭ ĉio bone klarigi al ni la internan ideon de la Esperantismo. Ni ĉiuj senkonscie ofte aludadis tiun ĉi ideon en niaj paroloj kaj verkoj, sed neniam parolis pri ĝi pli klare. Estas jam tempo, ke ni parolu pli klare kaj precize.

El la deklaracio unuanime akceptita en la Boulogne'a kongreso, ni ĉiuj scias, kio estas la Esperantismo en rilato praktika; el tiu ĉi deklaracio ni ankaŭ scias, ke "Esperantisto estas nomata ĉiu persono, kiu uzas la lingvon Esperanto tute egale, por kiaj celoj li ĝin uzas". Esperantisto sekve estas ne sole tiu persono, kiu uzas Esperanton sole kaj ekskluzive por celoj praktikaj; Esperantisto ankaŭ estas persono, kiu uzas Esperanton, por gajni per ĝi monon; Esperantisto estas persono, kiu uzas Esperanton nur por amuziĝadi; Esperantisto fine estas eĉ tiu persono, kiu uzas Esperanton por celoj plej malbonaj kaj malamaj. Sed krom la flanko praktika, deviga por ĉiuj kaj montrita en la deklaracio, la Esperantismo havas ankoraŭ alian flankon, ne devigan, sed multe pli gravan, flankon idean. Tiun ĉi flankon diversaj Esperantistoj povas klarigi al si en la plej diversa maniero kaj en la plej diversaj gradoj. Tial, por eviti ĉiun malpacon, la Esperantistoj decidis, lasi al ĉiu plenan liberecon akcepti la internan ideon de la Esperantismo en tiu formo kaj grado, kiel li mem deziras, aŭ - se li volas - eĉ tute ne akcepti por la Esperantismo ian ideon. Por demeti de unuj Esperantistoj ĉian respondecon por la agoj kaj idealoj de aliaj Esperantistoj, la Bulonja deklaracio precizigis la oficialan, de ĉiuj sendispute akceptitan esencon de la Esperantismo kaj aldonis la sekvantajn vortojn: "Ĉiu alia espero aŭ revo, kiun tiu aŭ alia persono ligas kun la Esperantismo, estas lia afero pure privata, por kiu la Esperantismo ne respondas". Sed bedaŭrinde la vorton "privata" kelkaj amikoj-Esperantistoj klarigis al si en la senco de "malpermesata", kaj tiamaniere, anstataŭ konservi por la interna ideo de la Esperantismo la eblon tute libere disvolviĝi, ili volis tiun ideon tute mortigi.

Se ni, batalantoj por Esperanto, propravole donis al la vasta mondo plenan rajton rigardi Esperanton nur de ĝia flanko praktika kaj uzadi ĝin nur por nia utilo, tio ĉi kompreneble al neniu donas la rajton postuli, ke ni ĉiuj vidu en Esperanto nur aferon praktikan. Bedaŭrinde en la lasta tempo inter la Esperantistoj aperis tiaj voĉoj, kiuj diras: "Esperanto estas nur lingvo; evitu ligi eĉ tute private la Esperantismon kun ia ideo, ĉar alie oni pensos ke ni ĉiuj havas tiun ideon, kaj ni malplaĉos al diversaj personoj, kiuj ne amas tiun ideon!" Ho kiaj vortoj! El la timo, ke ni eble ne plaĉos al tiuj personoj, kiuj mem volas uzi Esperanton nur por aferoj praktikaj por ili, ni devas ĉiuj elŝiri el nia koro tiun parton de la Esperantismo, kiu estas la plej grava, la plej sankta, tiun ideon, kiu estis la ĉefa celo de la afero de Esperanto, kiu estis la stelo, kiu ĉiam gvidadis ĉiujn batalantojn por Esperanto! Ho, ne, ne, neniam! Kun energia protesto ni forĵetas tiun ĉi postulon. Se nin, la unuajn batalantojn por Esperanto, oni devigos, ke ni evitu en nia agado ĉion idean, ni indigne disŝiros kaj bruligos ĉion, kion ni skribis por Esperanto, ni neniigos kun doloro la laborojn kaj oferojn de nia tuta vivo, ni forĵetos malproksimen la verdan stelon, kiu sidas sur nia brusto, kaj ni ekkrios kun abomeno: "Kun tia Esperanto, kiu devas servi ekskluzive nur al celoj de komerco kaj praktika utileco, ni volas havi nenion komunan!" Venos iam la tempo, kiam Esperanto, fariĝinte posedaĵo de la tuta homaro, perdos sian karakteron idean; tiam ĝi fariĝos jam nur lingvo, oni jam ne bataladas por ĝi, oni nur tirados el ĝi profiton. Sed nun, kiam preskaŭ ĉiuj Esperantistoj estas ankoraŭ ne profitantoj, sed nur batalantoj, ni ĉiuj konscias tre bone, ke al laborado por Esperanto instigas nin ne la penso pri praktika utileco, sed nur la penso pri la sankta, granda kaj grava ideo, kiun lingvo internacia en si enhavas. Tiu ĉi ideo – vi ĉiuj sentas ĝin tre bone – estas frateco kaj justeco inter ĉiuj popoloj. Tiu ĉi ideo akompanadis Esperantismon de la unua momento de ĝia naskiĝo ĝis la nuna tempo. Ĝi instigis la aŭtoron de Esperanto, kiam li estis ankoraŭ malgranda infano; kiam antaŭ dudek ok jaroj rondeto de junaj diversgentaj gimnazianoj festis la unuan signon de vivo de la estonta Esperanto, ili kantis kanton, en kiu post ĉiu strofo estis ripetataj la vortoj: "malamikeco de la nacioj, falu, falu, jam estas tempo".

Nia himno kantas pri la "nova sento, kiu venis

en la mondon", ĉiuj verkoj, vortoj kaj agoj de la iniciatoro kaj de la nunaj Esperantistoj ĉiam spiras tute klare tiun saman ideon. Neniam ni kaŝis nian ideon, neniam povis esti eĉ la plej malgranda dubo pri ĝi, ĉar ĉiu parolis pri ĝi, kaj sindone laboris. Kial do aliĝis al ni la personoj, kiuj vidas en Esperanto "nur lingvon"? Kial ili ne timis, ke la mondo kulpigos ilin pri granda krimo, nome pri la deziro, helpi al iom-post-ioma unuiĝo de la homaro? Ĉu ili ne vidas, ke iliaj paroloj estas kontraŭaj al iliaj propraj sentoj kaj ke ili senkonscie revas pri tio sama, pri kio ni revas, kvankam pro neĝusta timo antaŭ sensencaj atakantoj ili penas tion ĉi nei?

Se mi, la tutan pli bonan parton de mia vivo memvole pasigis en grandaj suferoj kaj oferoj kaj ne rezervis por mi eĉ ian rajton de aŭtoreco - ĉu mi faris tion ĉi pro ia praktika utileco? Se la unuaj Esperantistoj pacience elmetadis sin ne sole al konstanta mokado, sed eĉ al grandaj oferoj, kaj ekzemple unu malriĉa instruistino longan tempon suferis malsaton, nur por ke ŝi povu ŝpari iom da mono per la propagando de Esperanto - ĉu ili ĉiuj faris tion ĉi pro ia praktika utileco?

Se ofte personoj alforĝitaj al la lito de morto skribadis al mi, ke Esperanto estas la sola konsolo de ilia finiĝanta vivo, ĉu ili pensis tiam pri ia praktika utileco? Ho, ne, ne, ne! Ĉiuj memoris nur pri la interna ideo entenata en la Esperantismo; ĉiuj ŝatis Esperanton ne tial, ke ĝi alproksimigas reciproke la korpojn de la homoj, eĉ ne tial, ke ĝi alproksimigas la cerbojn de la homoj, sed nur tial, ke ĝi alproksimigas iliajn korojn.

Vi memoras, kiel forte ni ĉiuj estis entuziasmigitaj en Bulonjo ĉe l' Maro. Ĉiuj personoj, kiuj partoprenis en la tiea kongreso, konservis pri ĝi la plej agrablan kaj plej entuziasman memoron por la tuta vivo, ĉiuj ĝin nomas "la neforgesebla kongreso". Kio do tiel entuziasmigis la membrojn de la kongreso? Ĉu la amuzoj per si mem? Ne, ĉiu ja povas havi sur ĉiu paŝo multe pli grandajn amuzojn, aŭskulti teatraĵojn kaj kantojn multe pli bonajn kaj plenumatajn ne de nespertaj diletantoj, sed de plej perfektaj specialistoj! Ĉu nin entuziasmigis la granda talento de la parolantoj?

Ne; ni tiajn ne havis en Bulonjo. Ĉu la fakto, ke ni komprenis nin reciproke? Sed en ĉiu kongreso de samnacianoj ni ja komprenas nin ne malpli bone, kaj tamen nenio nin entuziasmigis. Ne, vi ĉiuj sentas tre bone, ke nin entuziasmigis ne la amuzoj per si mem, ne la reciproka sinkomprenado per si mem, ne la praktika utileco, kiun Esperanto montris, sed la interna ideo de la Esperantismo, kiun ni ĉiuj sentis en nia koro. Ni sentis, ke komenciĝas la falado de la muroj inter la popoloj, ni sentis la spiriton de ĉiuhoma frateco. Ni konsciis tre bone, ke, ĝis la fina malapero de la muroj, estas ankoraŭ tre kaj tre malproksime; sed ni sentis, ke ni estas atestantoj de la unua forta ekbato kontraŭ tiuj muroj; ni sentis, ke antaŭ niaj okuloj flugas ia fantomo de pli bona estonteco, fantomo ankoraŭ tre nebula, kiu tamen de nun ĉiam pli kaj pli korpiĝados kaj potenciĝados.

Jes, miaj karaj kunlaborantoj! Por la indiferenta mondo Esperanto povas esti nur afero de praktika utileco. Ĉiu, kiu uzas Esperanton aŭ laboras por ĝi, estas Esperantisto, kaj ĉiu Esperantisto havas plenan rajton vidi en

Esperanto nur lingvon simplan, malvarman internacian kompreniĝilon, similan al la mara signaro, kvankam pli perfektan. Tiaj Esperantistoj kredeble ne venas al niaj kongresoj aŭ venos al ili nur por celoj esploraj, praktikaj aŭ por malvarma diskutado pri demandoj pure lingvaj, pure akademiaj, kaj ili ne partoprenos en nia ĝojo kaj entuziasmo, kiu eble ŝajnos al ili naiva kaj infana. Sed tiuj Esperantistoj, kiuj apartenas al nia afero ne per sia kapo, sed per sia koro, tiuj ĉiam sentos kaj ŝatos en Esperanto antaŭ ĉio ĝian internan ideon; ili ne timos, ke la mondo moke nomas ilin utopiistoj, kaj la naciaj ŝovinistoj eĉ atakos ilian idealon kvazaŭ krimon; ili estos fieraj pri tiu nomo de utopiistoj. Ĉiu nia nova kongreso fortikigos en ili la amon al la interna ideo de la Esperantismo, kaj iom post iom niaj ĉiujaraj kongresoj fariĝos konstanta festo de la homaro kaj de homa frateco.

2차 에스페란토 세계 대회

일시 : 1906.8.28
장소 : 제네바(스위스)

존경하는 신사숙녀 여러분. 나는 두 번째 대회를 개최하는
순간에, 만일 내가 당신들 모두의 이름으로 대회에서 보여
준 손님을 사랑하는 스위스 나라에게, 그리고 두 달 전에
우리의 대표를 친절하게 맞아 주신 스위스 연방의 대통령
각하에게, 저의 감사의 마음을 표한다면 저는 모든 참석자
들의 바람을 수행함을 희망합니다. 여러 중요한 국제적인
일의 역사에서 이미 여러 번 영광스럽게 자신의 이름을 기
재한 제네바 도시에게 각별한 인사를 드립니다.

우리 대회의 완전한 준비를 위하여 그들이 할 수 있는 모
든 것을 부지런히 하고 현재의 대회를 조직한 분들에게,
스위스 나라의 각 도시에 에스페란토 그룹을 세운 지난해
동안에 지칠 줄 모르고 많은 일을 한 헌신적인 스위스 에
스페란티스토들에게 모든 준비에 대하여 부지런히 돌봐 주
시고 특히 회장이 개인적으로 열심히 일한 임시 중앙 조직
위원회에게, 끝내 - 같이 중요하게, 모든 중요한 일을 위하
여 중앙 사무실의 관대한 설립으로 확고한 기초를 세운
눈에 띄지 않게 일한 친구들에게, 당신들 모두의 이름으로

마음의 감사함을 표시함을 또한 나에게 허락해 주시기 바랍니다.

신사 숙녀 여러분! 우리대회의 개최에 즈음하여 당신들은 저에게 어떤 말을 기대하고 있습니다. 어쩌면 당신들은 일빈적으로 사무적인, 내용이 없는 냉담한, 싱기운 것을 지에게 기대하고 있는 줄도 모릅니다. 그러한 말은 그러나 저는 할 수 없습니다. 저는 일반적으로 그러한 말을 좋아하지 않고, 그러한 색깔 없는 사무적인 말은 나에게 커다란 죄가 될지 모릅니다. 저는 수백만의 사람들이 인권을 위하여, 가장 기본적인 인간의 자유를 위하여 어렵게 싸우는 나라에서 당신에게 왔습니다. 그러나 그것에 대하여 저는 말하려는 것이 아닙니다. 왜냐하면 수백만이 사는 나라의 어려운 싸움에 대해 당신 모두는 개인적으로 관심을 가질 수 있지만, 그러나 이 싸움은 에스페란티스토로서 당신과 무관하고 그리고 우리대회는 정치적인 일과 아무런 공통점이 없습니다. 그러나 순전히 정치적인 싸움 아닌, 위에 언급한 나라에서 어떤 에스페란티스토로서 우리가 간과하지 않을 수 없는 일이 지금 벌어지고 있습니다. 우리는 그 나라에서 종족 간에 잔인한 싸움을 보고 있습니다. 거기에서는 정치적인 이해관계 때문에 한나라의 사람들이 다른 나라의 사람들을 공격하는 것이 아닙니다. 거기에서 같은 나라의 자연적인 구성원들이 그들이 다른 종족에 속한다는 이유로 같은 나라의 자연적인 구성원들에게 잔인한 짐승처럼 덤벼들고 있습니다.

매일 정치적인 싸움으로 수많은 생명이 죽어 가고 있습니다. 그러나 훨씬 많은 사람들이 종족 간의 싸움으로 매일 같이 죽어 가고 있습니다. 많은 언어가 존재하는 카우카조의 상태가 무섭고 러시아 서쪽 지방의 상태가 그러합니다. 이민족 간의 증오는 저주받고, 수천 번 저주받아야 합니다. 제가 아직 어렸을 때, 비알리스토크 도시에서 저는 같은 나라, 같은 도시의 자연스런 구성원들 사이에 서로 나뉘고, 서로의 적대감을 갖는 것에 대하여 아픔을 갖고 바라봤습니다.

그리고 그때 저는 수많은 세월이 흐르면 모든 것이 변화하고 좋아지겠지 하는 공상을 하였습니다. 실로 수많은 해가 바뀌었습니다. 그러나 저의 아름다운 꿈 대신에 저는 무서운 현실을 지켜봤습니다. 그 거친 사람들이 태어난 불행한 도시의 거리에 도끼와 쇠몽둥이를 들고 잔인한 짐승처럼, 그들이 자기와 다른 언어를 사용하고, 다른 종교를 믿는다는 이유로 조용히 사는 사람들에게 덤벼들었습니다. 그것 때문에 사람들이 나약한 어린이와 노쇠한 늙은이 남녀 가리지 않고 눈을 후벼 파내고 두개골을 부셨습니다. 나는 더 이상 비알리스토크의 짐승 같은 살육의 무시무시한 상황을 얘기하고 싶지 않습니다. 당신들 에스페란티스토들에게 저는 우리가 없애야 하는 종족 간의 벽이 그렇게 높고 두껍다는 것을 단지 말하려고 합니다.

사람들은 비알리스토크와 많은 다른 도시에서의 살육은 러시아 종족에게 죄가 있다고 말하지는 않습니다. 왜냐하면 러시아 종족은 전혀 잔인하고 피에 목마른 인종이 아니기 때문입니다. 또한 타타르나 아르메니아인도 끊임없는 살육의 싸움에서 죄가 있다고는 말하지 않습니다. 왜냐하면 양 종족은 온순한 종족이고 누구에게 자신의 지배를 강요하지 않고, 그들이 바라는 것은 사람들이 그들을 조용하게 살도록 하는 것입니다. 사람들은 확실히 증오해야만 할 죄인들이 여러 가지 비천한 방법으로 거짓과 중상으로 서로의 종족 간에 무서운 증오가 인위적으로 생기게 합니다. 만일 종족들이 서로를 잘 알고, 만일 그들 사이에 자유롭게 소통을 불허하는 높고 두꺼운 벽이 없다면 그리고 다른 종족의 구성원이 자신의 종족 구성원처럼 같은 사람이라는 것을 알고, 그들의 문학이 어떤 무서운 죄를 설명하지 않고, 그러나 우리처럼 같은 이상을 가진, 같은 예절이 있다는 것을 알면, 가장 커다란 거짓과 중상모략이 그러한 무시무시한 결과를 가져올 수 있을까요? 국민들 사이에 벽을 허물고 허뭅시다. 그들에게 자유롭게 사귀고 중립적인 기반 위에 서로 소통하는 가능성을 열어 줍시다. 그리고 그때만이 여러 곳에서 일어나는 짐승 같은 참혹함이 사라질 것입니다.

우리는 몇몇 사람들이 생각하는 것처럼 그렇게 순진하지는 않습니다. 우리는 중립적인 기초가 사람들을 천사로 만들 것이라고 믿지 않습니다. 우리는 나쁜 사람들은 세월이 흐른 후에도 나쁜 사람으로 남는다는 것을 잘 압니다. 그러나 우리는 중립적인 기반위에 소통과 사귐이 나쁜 의도가 아닌 그러나 단순히 강요와 무식으로 야기된 그 짐승 같은 죄악이 적어도 대부분 없어질 것으로 믿습니다.

지금 세계 여러 곳에서 종족 간의 싸움이 잔인할 때 우리 에스페란티스토들은 더 열심히 일해야 합니다. 그러나 우리의 일이 결실을 맺기 위하여 우리는 누구보다도 우리자신에게 에스페란토주의의 내적 사상을 잘 설명할 수 있어야 합니다. 우리 모두는 연설에서나 작품에서 종종 이 사상을 암시하고 있습니다. 그러나 우리는 그것에 대하여 더욱 확실하게 말하지는 않았습니다. 더 확실하게, 더 자세히 얘기할 때가 되었습니다.

불로뉴 대회에서 만장일치로 받아들인 선언문에서 우리 모두는 실천하는 과정에서 무엇이 에스페란토주의인지를 압니다. 그 선언문에서 우리는 또한 그가 어떤 목적으로 에스페란토를 사용하든 똑같이 에스페란토를 사용하는 모든 사람을 에스페란티스토로 불리는 것을 압니다. 에스페란티스토는 단지 에스페란토로 인류를 화합하는 것을 공상하는 사람뿐만 아니라 또한 에스페란토를 단지 실용의 목적으로 사용하는 사람도 에스페란티스토입니다. 단지 재미로 에스페란토를 사용하는 사람도 에스페란티스토입니다. 심지어 가장 고상한 증오의 목적으로 에스페란토를 사용하는 사람도 에스페란티스토입니다. 그러나 한편 실제 실용적인 측면 외에 선언문에서 보여준 모두를 위한 필수적인 점은 에스페란토주의는 다른 측면을 강요하지 않고 그러나 훨씬 중요한 사상적 측면을 아직 갖고 있습니다. 이 측면을 여러 에스페란티스토들은 자신에게 여러 가지 방법으로, 여러 가지 정도로 설명할 수 있어야 합니다. 그래서 모든 불협화음 을 피하기 위해서 그가 바라는 대로 어떤 형태나 정도로, 에스페란토의 내적 사상을 수락하든, 또는 에스페란토주의를 위하여 어떤 사상을 전혀 수락하지 않기를 원하든 완전한 자유를 모두에게 자율에 맡기기로 결정하였습니다. 다른 에스페란티스토의 행동과 이상을 위하여 모든 책임을 최초의 에스페란티스토들이 지지 않기 위하여 에스페란토주의의 본질을 모두가 논쟁 없이 받아들인 불로뉴 선언문에서 공식적으로 명확하게 했습니다. 그리고 다음과 같은 말을 첨가하였습니다. 에스페란토주의와 묶은 모든 개인의 희망과 공상은 에스페란토주의가 책임질 수 없는 순전히 전혀 개인적인 일입니다. 그러나 "개인적인" 이란 단어도 유감스럽게 몇 명의 에스페란토 친구들은 불허하는 의미로 설명하고 있습니다. 그리고 그러한 방법으로 에스페란토의 내적 사상이 자유롭게 펼쳐질 가능성을 갖는 대신, 그들은 그 사상을 죽이고 싶어 했습니다.

만일 우리 에스페란토의 전사자들이 자의적으로 넓은 세계에 그것의 실용적인 측면과 우리의 이익을 위하여 오직 그것을 사용하는 것으로 에스페란토를 바라보는 완전한 권리를 주었다면, 이것은 물론 우리 모두가 에스페란토 속에서 오직 실용적인 측면만 볼 것을 요구하는 권리를 누구에게도 준 것이 아닙니다. 유감스럽게도 근래에 에스페란티스토들 사이에 이러한 목소리가 나타났습니다. "에스페란토는 단순한 언어다. 에스페란토주의와 어떤 사상을 심지어 사적으로 연결하는 것을 피하라. 왜냐하면 사람들이 우리 모두가 그 사상을 갖고 있는 것으로 생각하고 우리는 이 사상을 싫어하는 여러 사람들에게 미움을 받을 것이다."
호- 그러한 말이 어디 있습니까? 에스페란토를 그들을 위
해 실용적인 측면을 위해 사용하는 사람들에게 어쩌면 우
리가 미움을 받을 두려움에서, 우리는 우리의 마음에서 신
성하고 대단히 중요한 에스페란토주의에서 그 부분을, 에
스페란토에 있어서 가장 중요한 목적인, 에스페란토를 위
해서 우리 전사자들이 안내하는 별인, 그 사상을 우리 모
두 분리해야 하다니! 호, 아니요, 아니요, 절대 아닙니다.
우리는 이 요구를 절대 힘찬 항의의 표시로 버려야 합니다.
만일 에스페란토의 초기의 전사자들인 우리에게 사람들이
우리의 행동에서 모든 사상을 버릴 것을 강요한다면, 우리
는 분개하여 에스페란토로 쓴 모든 것을 찢어버리고 불태
울 것입니다. 우리는 우리의 생명의 제물과 일을 아픔을
갖고 없앨 것입니다. 우리는 가슴에 단 녹색별을 멀리 던
져버릴 것입니다. 그리고 증오와 함께 외칠 것입니다. 오직
상업적인 목적과 실용적인 목적에만 쓸 수 있는 그러한 에
스페란토하고는 우리는 아무런 공통점을 갖고 있지 않습니
다. 에스페란토가 전 인류의 재산이 될 때가 올 것입니다.
그때 그것은 오로지 언어로 남게 될 것이고 사람들은 그것
을 전파하는 노력을 하지 않아도 될 것입니다. 사람들은
그것에서 오직 이익을 얻어낼 것입니다. 그러나 지금 모든
에스페란티스토들이 아직은 수혜자가 될 수 없고, 그러나
전사자들인 우리가   에스페란토의 지속적인 일이 우리를
실용적인 효용성에 대한 생각보다, 그러나 신성한 생각, 국
제어가 갖고 있는 크고 위대한 사상으로 우리를 자극하고
있다는 것을 우리 모두는 잘 인식하고 있습니다. 이 사상 -

당신 모두가 그것을 잘 느끼는 것은 - 모든 국민들 사이에 정의와 형제애입니다. 이 사상은 에스페란토가 태어나서부터 지금까지 에스페란토주의와 함께 동반하고 있습니다. 그것이 본인이 아주 어렸을 때부터 본인을 자극시켰습니다. 28년 전에 여러 종족의 어린 중학생들의 모임에서 미래의 에스페란토 생명의 첫 번째 신호를 축하했습니다. 그들은 그 단어를 반복적으로 모든 시의 절 뒤에 노래로 노래했습니다. "민족의 증오가 사라져라, 사라져라, 이미 때가 왔다."

우리의 찬가는 세상에 온 "새로운 느낌"에 대해서 노래하고 있습니다. 창시자의 현재의 에스페란티스토의 모든 작품, 말, 행동에서 항상 그 같은 사상이 아주 투명하게 숨쉬고 있습니다. 우리는 절대 우리의 사상을 숨기지 않았고 심지어 그것에 대하여 아주 조그마한 의심도 있을 수 없습니다. 왜냐하면 모두가 그것을 말하고 헌신적으로 일했기 때문입니다. 그러면 에스페란토를 단지 언어로 바라보는 사람들이 왜, 우리에게 가입하고 있습니까? 왜 그들이 세상이 그들에게 커다란 범죄에 대한 죄 짓게 하는 것, 즉 인류의 하나가 됨을 도와주는 바람에 대해서 그들은 왜 두려워하지 않습니까? 그들의 말이 그들 자신의 느낌에 반하고 무의미한 공격자 앞에 옳지 않은 두려움 때문에 그들은 이것을 부정하지만 우리가 공상하는 것에 대하여 그들이 무의식적으로 공상하는 것을 그들은 알지 않습니까?

만일 제가 저의 생애의 가장 좋은 시절을 큰 고통과 노력에서 보냈고, 저자로써 심지어 어떤 권리를 저에게 남겨두지 않았다면, 제가 이것을 실용성적인 효용성에만 두고 이 일을 했겠습니까? 만일 초창기의 에스페란티스토들 단지 끊임없는 조롱을 외면하지 않고, 그러나 커다란 노력에, 예를 들면 어느 젊은 가난한 여선생님이 오랜 시간을 배고픔을 참아가며 에스페란토 의 보급을 위하여 조그마한 돈을 저축했다면 - 그들 모두가 단지 실용적인 효용성 때문에 이것을 했겠습니까?

만일 어떤 죽음을 맞이하는 사람이 그들의 마지막 생애에 에스페란토가 커다란 위안이 되었노라고 썼다면, 그들은 그때 실용적인 효용성에 대해서만 생각했겠습니까? 호, 아니요, 아니요, 아닙니다! 모두 에스페란토주의에 갖고 있는 내적 사상에 대하여 기억했습니다. 모두 에스페란토가 서로에게 육체를 가깝게 해서가 아니고, 더 더욱 사람들의 머리를 가깝게 해서가 아니고, 그들의 마음을 가깝게 하기 때문에 에스페란토를 좋아했습니다.

당신은 우리 모두가 불로뉴 대회에서 얼마나 감동적이었나를 기억합니다. 그곳 대회에 참석한 모든 사람들은 그것에 대하여 일생에 가장 아름답고, 가장 감동적인 추억을 갖고 있습니다. 모두가 그것을 잊을 수 없는 대회로 부릅니다. 그러면 무엇이 대회의 회원들을 그렇게 열광적이게 했습니까? 그것으로 즐거움 때문에? 아닙니다. 모두가 매 걸음에 훨씬 좋은 경험이 적은 아마추어 애호가가 아닌, 그러나 완전한 전문가에 의해 수행되는 훨씬 좋은 노래와 연극을 보려고 훨씬 큰 즐거움을 가질 수는 없습니다. 우리가 연설자의 달변에 열광되었습니까? 아닙니다. 우리는 불로뉴에서 그런 것이 없었습니다. 우리가 서로를 이해한 것이 사실입니까? 그러나 같은 민족인들의 대회에서 더 잘 이해합니다. 그러나 그곳에서 아무것도 우리를 열광시키지 못합니다. 아니요, 당신 모두는 자신의 즐거움으로 우리가 열광된 것이 아니고 자신으로써 서로의 이해가 아니고, 에스페란토가 보여준 실용적인 효용성이 아니고, 그러나 우리 마음속에 모두가 느끼는 에스페란토의 내적 사상을 더 잘 느꼈습니다. 우리는 국민들 사이에 장벽이 무너지는 것을 느꼈습니다. 우리는 모든 사람의 형제애의 정신을 느꼈습니다. 우리는 벽의 사라짐이 아직도 매우, 매우 멀다는 것을 잘 인식하고 있습니다. 그러나 우리는 이 언어의 장벽에 대해서 최초의 부수는 소리의 증인임을 느꼈습니다. 우리는 우리의 눈앞에 더 좋은 미래의 유령이, 그렇지만 지금부터 더욱 더 육체화되고 권력을 갖는 아직도 흐릿한 유령이 우리 눈 앞 에 날아가는 것을 우리는 느꼈습니다.

예, 나의 사랑하는 동지들! 에스페란토에 관심이 없는 세계에서는 에스페란토가 실용적인 효용성의 일일 수 있습니다. 에스페란토를 사용하고 그것을 위해서 일하는 모두가 에스페란티스토 입니다. 그리고 모든 에스페란티스토는 보다 완벽하지만 바다에 떠있는 신호집 비슷한 에스페란토를 단순한 언어, 냉담한 국제 이해 도구로 바라볼 완전한 권리를 갖고 있습니다. 그러한 에스페란티스토들은 믿건 데 우리대회에 오지 않았습니다. 또는 탐구, 실용의 목적으로 또는 언어로써 순전히 학술적인 질문에 대하여 심각한 토론을 위해서 대회에 올 것입니다. 그리고 그들은 그들에게 순진한 어린애 같이 보이는 기쁨과 열광 속에 참석하지 않을 것입니다. 그러나 머리로써가 아닌 마음으로 우리 일에 속한 그러한 에스페란티스토들은, 그들은 무엇보다도 에스페란토에서 내적 사상을 좋아하고 느낄 것입니다. 그들은 세상이 그들을 조롱하며, 이상주의자들이라고 부르는 것을, 또한 민족의 국수주의자들이 그들의 이상을 마치 범죄처럼 공격하는 것도 두려워하지 않을 것입니다. 그들은 이상주의자라는 이름을 자랑스러워할 것입니다. 매년 우리의 새로운 대회가 그들에게 에스페란토주의의 내적 사상을 강화시킬 것이고 조금씩 우리 대회가 인간형제의 인류의 지속적인 축제가 될 것입니다.

Parolado antaŭ **la Tria Kongreso** Esperantista en Cambridge en la 12a de aŭgusto 1907

Karaj samideanoj! Konforme al la ĝisnuna moro, mi komencas mian parolon per tio, ke mi permesas al mi en la nomo de ĉiuj kongresanoj esprimi nian saluton kaj dankon al la lando, kiu gastame nin akceptis, kaj precipe al niaj Britaj samideanoj, kiuj per multaj laboroj kaj granda zorgemo pretigis por ni tiun feston, en kiu ni nun ĉiuj partoprenas. De la momento, kiam niaj Britaj amikoj invitis nin al si, ni ĉiuj estis konvinkitaj, ke nia kongreso en ilia lando havos apartan signifon kaj estos epokofaranta. Kaj ne estas malfacile antaŭvidi, ke nia espero nin ne trompos, ĉar tion ĉi garantias al ni ne sole la konata energio kaj sindoneco de niaj Britaj amikoj, sed ankaŭ la karaktero mem de ilia lando.

La fakto, ke ni kongresas nun en glora universitata urbo de Granda Britujo, havas grandan signifon. La kontraŭuloj de nia ideo konstante ripetadis al ni, ke la Angle parolantaj popoloj neniam al ni aliĝos, ĉar ne sole ili malpli ol ĉiuj aliaj popoloj sentas la bezonon de lingvo internacia, sed por ili la fortikiĝado de lingvo internacia estas rekte malutila, ĉar tia lingvo konkurados en la mondo antaŭ ĉio kun la lingvo Angla, kiu celas fariĝi internacia. Kaj tamen rigardu, kiel forte eraris niaj kontraŭuloj! Rigardu, kiel multope jam aliĝis al ni la Britoj, kiuj tiel nevolonte lernas aliajn lingvojn krom sia nacia; rigardu, kun kia amo ili preparis nian kongreson kaj en kia granda nombro ili aperis, por deziri al ni bonvenon! Tio ĉi montras antaŭ ĉio, ke la homoj komencis jam kompreni, ke lingvo internacia estas utila ne solo por popoloj malfortaj, sed ankaŭ por popoloj fortaj; sed tio ĉi montras ankoraŭ alian aferon, multe pli gravan: ke la homoj vidas en la Esperantismo ne sole aferon de egoisma oportuneco, sed gravan ideon de intergenta justeco kaj frateco, kaj al tiu ĉi ideo volas servi la noblaj homoj de ĉiuj popoloj, tute egale, ĉu iliaj popoloj estas fortaj aŭ malfortaj, kaj ĉu la intergenta justeco estas por ili profita aŭ malprofita. Ni scias, ke la plimulton de niaj Britaj samideanoj alkondukis al ni la interna ideo de la Esperantismo, kaj ni tiom pli ĝoje esprimas al niaj Britaj amikoj nian koran dankon. La Kembriĝanoj akceptas nin hodiaŭ ne kiel komercistojn, kiuj alportas al ili profiton, sed kiel apostolojn de ideo homara, kiun ili komprenas kaj ŝatas; koran dankon al la Kembriĝanoj, koran dankon al la glora Kembriĝa universitato, kiu pruntis al ni siajn ĉambrojn, koran dankon al la Kembriĝa urbestraro, kiu gastame zorgis pri nia bono. Ni kore salutas vin, granda Brita popolo, ni plej respekte salutas vian altan reprezentanton, Lian Reĝan Moŝton. Vivu la Reĝ' al vi, tre longe vivu Li, gardu Lin Di'!

Samideanoj! En la momento de la malfermo de nia tria kongreso ni ne povas silenti pri la tro multaj amikoj, kiujn la morto kaptis dum la pasinta jaro; vi ĉiuj memoras, ke tuj post la Ĝeneva kongreso, ni sciiĝis pri la malfeliĉa morto de D-ro Lloyd, prezidanto de Liverpoola Grupo. Ni perdis ankaŭ du eminentajn amikojn de nia afero, la gloran sciencolon Berthelot kaj Prof-on Michael Foster, kiu esperis nin akcepti en Kembriĝo. Fine, mortis nia plej kara samideano kaj amiko, kiu estis la animo de niaj ĝisnunaj kongresoj, la ĉefa motoro de nia lasta kongreso en Ĝenevo, la fondinto, subteninto kaj inspirinto de nia Konstanta Kongresa Komitato. Vi ĉiuj scias, pri kiu mi parolas. Nia neforgesebla amiko Javal plu ne ekzistas. Al vi, amikoj-Esperantistoj de ĉiuj landoj, kaj al vi, niaj estimataj gastoj, kiuj simpatias nian aferon, mi proponas, ke ni honoru la memoron de nia multemerita samideano kaj de ĉiuj mortintaj Esperantistoj per leviĝo de niaj seĝoj.

Samideanoj! Antaŭ tri semajnoj finiĝis ĝuste dudek jaroj de la tago, kiam aperis publike la unua libro pri la lingvo Esperanto. En ĉiuj partoj de la mondo la Esperantistoj festis tiun tagon. Kiel fondinto de Esperanto, mi ricevis en tiu tago multajn gratulajn telegramojn kaj leterojn. Ĉar mi ne havas kancelarion, sed mi devas mem ĉion plenumi en miaj liberaj horoj, tiel oni facile komprenos, ke respondi ĉiujn ricevitajn esprimojn de amikeco estis por mi afero absolute ne ebla, kaj oni min facile pardonos. Mi uzas nun la bonan okazon, por esprimi mian plej sinceran dankon al ĉiuj, kiuj sendis al mi amikajn bondezirojn. La gratuloj apartenas kompreneble ne al mi persone, sed al la tuta batalantaro Esperantista, kaj mi estas nur la centra punkto, en kiu kolektiĝis ĉiuj gratuloj, por resalti de tie al ĉiuj flankoj de la mondo, al ĉiuj lokoj, kie loĝas kaj laboras niaj senlacaj samideanoj. Kvazaŭ silente komisiita de la tuta Esperantistaro, mi vokas al ĉiuj Esperantistaj batalantoj: Mi vin gratulas! Mi kore vin gratulas, ke vi pacience eltenis en la daŭro de dudek jaroj, malgraŭ la multaj atakoj kaj malagrablaĵoj, kiuj al neniu el vi mankis. Mi kore vin gratulas pro tiuj rezultatoj, kiujn donis via energia kaj sindona dudek-jara laborado. Dudek jaroj da laborado por la Esperantismo! Kion tio signifas, - oni komprenos nur iam poste, kiam oni legos la detalan historion de la Esperantismo. Kian grandegan gravecon havas niaj ĝisnunaj akiroj, tion oni ankaŭ ĝuste komprenos nur iam poste, kiam oni ekscios detale la historion de niaj unuaj jaroj, kiam la akiro de ĉiu nova Esperantisto estis ligita kun senfina laborado kaj oferado.

Multaj el vi konas la historion de la lastaj dek jaroj de la Esperantismo, kiam la longe dormintaj semoj komencis doni la unuajn trunketojn; sed tre malmultaj el vi konas la historion de la unuaj dek jaroj, kiuj konsistis el senfina, ŝajne tute sensukcesa semado. La historio de la Esperantismo iam rakontos al vi pri ĉiuj tiamaj semantoj.

Nun nia afero staras forte. La glacia tavolo da antaŭjuĝoj de la mondo estas rompita, kaj nia afero kreskas regule kaj senhalte. Ĉiu jaro potence pligrandigas niajn fortojn, kaj ni iras al nia celo jam kun plena trankvileco. Centoj da miloj da radikoj kaj radiketoj subtenas nian arbon, kiu jam ne timas la venton. La naturo, kiu longan tempon batalis kontraŭ ni, batalas nun por ni, ĉar tiu sama forto de inercio, kiu longan tempon terure malhelpis ĉiun nian paŝon, ĝi mem ŝovas nin antaŭen. Eĉ se ni volus halti, ni jam ne povus.

Mi transiras al la vera temo de mia hodiaŭa parolado. Mi volas paroli al vi hodiaŭ pri la esenco kaj celo de niaj kongresoj. Sed por eviti ĉian malkompreniĝon, mi tuj en la komenco atentigas vin, ke mia parolo ne estas io oficiala, ĝi prezentas simple mian personan opinion, kiun ĉiu el vi povas aprobi aŭ ne aprobi.

Ĉar ni decidis kunvenadi ĉiujare el ĉiuj landoj

de la mondo kaj multaj el ni faras eĉ tre grandajn oferojn, por povi partopreni en niaj kongresoj, tial ni devas klarigi al ni, por kio ni kunvenas. Se ni konscios bone la esencon kaj celon de niaj kongresoj, tiam ni venados al ili kun ĉiam freŝa kaj neniam malfortiĝanta entuziasmo, kiel homoj, kiuj klare vidas antaŭ si la belan celon, al kiu ili iras; sed se ni ne konscios la celon de niaj kongresoj tiam ni baldaŭ tute malvarmiĝos por ili, kiel homoj, kiuj vagas sencele kaj kiujn tiu vagado baldaŭ lacigas kaj enuigas. Por kio do ni kunvenas? Ĉu ni kunvenas por paroli pri Esperantaj lingvaj demandoj? Ne! tiuj ĉi demandoj apartenas ne al la kongreso, sed ekskluzive al la Lingva Komitato, kaj por ili sufiĉus kongreso de komitatanoj. Ĉu ni kunvenas por ekzerciĝi en Esperanta parolado? Por tio sola ni ne bezonas veturi al kongreso, ĉar en niaj hejmaj grupoj ni povas en la daŭro de la tuta jaro multe pli ekzerciĝi, ol en la kelkaj tagoj de la kongreso, kaj por la sola kelkataga ekzerciĝo en parolado neniu entreprenus vojaĝojn. Ĉu ni kunvenas por fari manifestacion kaj sekve propagandon? Jes, certe! Sed ĉar el cent kongresanoj almenaŭ naŭdek-naŭ havas de Esperanto nur moralan profiton, por kio do ni ĝin propagandas? Mi ne dubas, ke plimulto el vi donos al ni nur unu respondon: Ni faras manifestacion kaj propagandon por la Esperantismo ne pro ia utilo, kiun ĉiu el ni persone povas havi de ĝi, sed pro tiu gravega signifo, kiun la Esperantismo havas por la tuta homaro, pro tiu komunehoma celo, kiu nin, aktivajn Esperantistojn, altiris al Esperanto; ni kunvenas ĉiujare el ĉiuj partoj de la mondo, por havi la ĝojon vidi samideanojn, por premi al ili la manon, por varmigi en ni per reciproka renkontiĝo kaj kunvivo la amon kaj entuziasmon por la ideo, kiun la Esperantismo en si enhavas. Kiel la antikvaj Hebreoj tri fojojn ĉiujare kunvenadis en Jeruzalemo, por vigligadi en si la amon al la ideo monoteisma, tiel ni ĉiujare kunvenas en la ĉefurbo de Esperantujo, por vigligi en ni la amon al la ideo Esperantisma. Kaj tio ĉi estas la ĉefa esenco kaj la ĉefa celo de niaj kongresoj.

Ĉar la mondo ĉiam komprenis, ke la Esperantismo estas forte ligita kun certa interna ideo, kaj tre multaj personoj ne volis lerni kaj uzi Esperanton nur tial, ĉar ili ne volis esti rigardataj kiel partianoj de ia ideo, tial - por ne fortimigi de ni grandajn amasojn, - ni estis devigitaj klarigi per la Bulonja deklaracio, ke la simpla Esperantisteco, t.e. la uzado de la lingvo Esperanto, neniun devigas esti partiano de tiu aŭ alia ideo, ke ĉiu Esperantisto restas homo tute libera kaj unuj Esperantistoj ne respondas por la ideoj de aliaj Esperantistoj. Sed se la simpla praktika Esperantisteco, t.e. la simpla lernado kaj uzado de Esperanto, neniun devigas aliĝi al ia ideo, tamen neniu povas dubi, ke ĉiujn, aŭ almenaŭ la grandegan plimulton de la personoj, kiuj batalas por Esperanto, ligas unu komuna ideo, kiu estas la tuta stimulo de ilia laborado.

Ĉiu privata Esperantisto povas havi tiajn konvinkojn aŭ fari tiajn agojn, kiajn li volas, kaj ni ne respondas por liaj konvinkoj, nek agoj, kiel li ne respondas por niaj. Li povas esti la plej granda egoisto, genta ŝovinisto, malamantoj de homoj aŭ eĉ la plej malnobla krimulo, kaj se li nur uzas la lingvon Esperanto, ni ne povas malpermesi al li, nomi sin Esperantisto. Sed se li volas veni al Esperantista kongreso, aŭ se li volas aliĝi al alia institucio, kiu portas la verdan standardon, tiam la afero ŝanĝiĝas. Tiam li venas en landon, kiu havas siajn apartajn leĝojn, siajn apartajn morojn kaj principojn.

En Esperantujo regas ne sole la lingvo Esperanto, sed ankaŭ la interna ideo de la Esperantismo; en Esperantujo regas ne sole la oficiala ĝenerala Esperantismo, - tie regas ankaŭ io alia, io ĝis nun ankoraŭ ne precize formulita, sed tre bone sentata de ĉiuj Esperantujanoj - tie regas la verda standardo!

Kio estas la verda standardo? Se por iu komercisto, kiu uzas Esperanton nur por vendi siajn komercaĵojn, aŭ por iu sportisto, kiu uzas Esperanton nur por amuziĝi, nia standardo estas simpla signo de nia lingvo, simpla interkonsentita dekoracio por niaj kongresoj kaj institucioj - ni, Esperantistoj-batalantoj certe vidas en nia standardo ion alian: Ĝi estas por ni io sankata, ĝi estas la signo, sub kiu ni marŝas al nia paca batalado, ĝi estas la voĉo, kiu konstante memorigas al ni, ke ni laboras por Esperanto nur tial, ĉar ni esperas, ke pli aŭ malpli frue, eble post multaj jarcentoj,

Sur neŭtrala lingva fundamento,
Komprenante unu la alian,
La popoloj faros en konsento
Unu grandan rondon familian.

Ni konstante ripetadis, ke ni tute ne deziras nin enmiksi en la internan vivon de la gentoj, sed ni deziras nur krei ligantan ponton inter la gentoj. La devizo de la ideaj Esperantistoj, neniam ĝis nun precize formulita, sed ĉiam klare sentata, estas: "Ni deziras krei neŭtralan fundamenton, sur kiu la diversaj homaj gentoj povus pace kaj frate interkomunikiĝadi, ne altrudante al si reciproke siajn gentajn apartaĵojn".

Tia, laŭ mia opinio, estas la devizo de la verda standardo, de tiu bela kaj majesta standardo, kiu kunvokas nin ĉiujare el ĉiuj partoj de la mondo en la nomo de la plej bela revo de la homaro.

Por formuli precize ĉiujn detalojn de la dirita devizo, ne venis ankoraŭ la tempo; ili formuliĝos per si mem, iom post iom, per nia ĉiujara kunvenado kaj kunvivado. Mi volis nur atentigi vin, ke niaj kongresoj, farataj sub la signo de la verda standardo, estas ne sole kongresoj de la lingvo Esperanto, sed ankaŭ de la interna ideo de la esperantismo. Sekve ĉiu temo, en kiu ni sentas la spiriton de la verda standardo, ĉio kio kondukas al rompado de la muroj inter la gentoj, apartenas al nia kongreso.

Vi ofte aŭdis pri la neŭtraleco de niaj kongresoj. Jes, neŭtraleco estas la ĉefa principo de niaj kongresoj; sed oni devas ĝuste kompreni la sencon de tiu ĉi neŭtraleco. Neŭtraleco ekzistas en ĉiuj internaciaj kongresoj; sed dum tie la neŭtraleco estas simple afero de takto, ĉe ni ĝi estas la ĉefa principo, ĉe ni la neŭtraleco, aŭ pli ĝuste la neŭtraligo de la intergentai rilatoj estas la tuta enhavo, la tuta celo de niaj laboroj. Tial ni neniam devas paroli en niaj kongresoj pri aferoj speciale politikaj, kiuj apartenas al la diplomatoj, aŭ pri aferoj speciale religiaj, kiuj apartenas al la ekleziuloj kaj filozofoj, - ĉar la verda standardo malpermesas al ni fari ion, kio povus ofendi tiun aŭ alian genton aŭ religian grupon; sed ĉio, kio neniun ofendante, povas krei pacan ponton inter la popoloj, tio ne sole ne devas esti timeme evitata en niaj kongresoj, sed kontraŭe, ĝi devas esti ĝuste la esenco de niaj kongresoj, ĉar ĝi apartenasal la verda standardo.

Se ni memoros pri la postuloj de la verda standardo, tiam ni ne timos plu paroli kaj agi, tiam ni irados al nia celo konscie kaj kuraĝe, kaj niaj kongresoj fariĝos kun ĉiu jaro pli interesaj kaj pli gravaj por la mondo. La verda stelo ĉesos esti malkuraĝa signo de silento, ĝi fariĝos signo de laboro.

Ĉio, kio kondukas al rompado de la muroj inter la gentoj, apartenas al nia kongreso. Vastaj kaj grandaj estas la rilatoj inter la gentoj kaj nacioj, kaj vastaj kaj multenombrai estas la temoj, kiujn ni devos pridiskutadi. Tiel ekzemple, havante nenian intencon enmiksi sin en ian specialan sistemon pri tiu aŭ alia temo, oni povas proponi al niaj kongresoj internaciajn sistemojn por la oportuneco kaj neŭtraleco de la rilatoj internaciaj, kiel ekzemple internacian monsistemon, horsistemon, kalendaron k.t.p., kaj tiam ni povos esplori, ĉu la propono estas bona aŭ ne, sed ni ne devas diri, ke la diskutado pri tiuj projektoj estas kontraŭa al nia programo. Oni eble ankaŭ proponos al ni la aranĝon de kelkaj festoj intergentaj, kiuj ekzistus paralele kun la specialaj festoj de ĉia gento kaj eklezio kaj servus por frate ligi inter si la popolojn; oni proponos ankaŭ aliajn similajn aferojn. Ne venis ankoraŭ la tempo, por paroli pri ĉio detale, tial pardonu min, ke mi nur aludas per kelkaj vartetoj tion, pri kio mi volus multe, tre multe paroli kun vi; sed ĉiam pli kaj pli, komencante de aferoj bagatelaj kaj transirante al aferoj plej gravaj, komencante de aferoj pure materialaj kaj transirante al ĉiuj flankoj de la homa spirito kaj moralo, oni proponados al ni diversajn rimedojn, kiuj servas al la fratigado de la homoj kaj al la rompado de la muroj inter la gentoj - kaj ĉion tion ĉi ni povos prijuĝi, akcepti aŭ ne akcepti, sed ni neniam devos ĝin blinde forĵeti antaŭe. Ĉar ĉio, kio servas al la fratigado de la gentoj kaj al la rompado de la malamikaj muroj inter la popoloj - se ĝi nur ne enmiksas sin en la internan vivon de la gentoj - apartenas al la verda standardo.

Karaj amikoj! Mi klarigis al vi, kio - laŭ mia opinio - devas esti la celado de niaj kongresoj.

Dum ĉiu privata esperantisto povas kontentiĝi per tio, ke li uzas la lingvon Esperanto, niaj kongresoj - laŭ mia opinio - devas labori ne sole por la lingvo, sed ankaŭ por la interna ideo de la esperantismo. Mi ripetas, ke tio ĉi estas mia privata opinio, kiun mi tute ne volas proponi al vi kiel ian oficialan programon por niaj kongresoj. Nia kongreso devas esti simple kongreso de esperantistoj, kaj, kondiĉe ke ĝia programo estu preparita laŭ la kongresa regularo, ĝi devas resti tute libera kaj konformiĝi ĉiufoje al la opinioj kaj deziroj de la plimulto de la kongresanoj. Sed ĉu vi aprobos mian opinion aŭ ne, ĉu vi volos labori laŭ la postuloj de la verda standardo aŭ ne - mi ne dubas, ke en la profundeco de viaj koroj vi ĉiuj sentas la verdan standardon, vi ĉiuj sentas, ke gi estas io pli, ol simpla signo de lingvo. Kaj ju pli ni partoprenados en niaj ĉiujaraj kongresoj, des pli ni interfratiĝos kaj des pli la principoj de la verda standardo penetros en nian animon. Multaj personoj aliĝas al la esperantismo pro simpla scivoleco, pro sporto, aŭ eble eĉ pro atendata profito; sed de la momento, kiam ili faras la unuan viziton en Esperantujo, ili malgraŭ sia propra volo ĉiam pli kaj pli entiriĝas kaj submetiĝas al la leĝoj de tiu lando. Iom post iom Esperantujo fariĝos edukejo de la estonta interfratigita homaro, kaj en tio ĉi konsistos la plej gravaj meritoj de niaj kongresoj.

Vivu Esperanto, sed antaŭ ĉio vivu la celo kaj la interna ideo de la esperantismo, vivu la frateco de la popoloj, vivu ĉio, kio rompas la murojn inter la gentoj, vivu, kresku kaj floru la verda standardo!

3차 에스페란토 세계 대회

일시 : 1907.8.12
장소 : 캠브리지(영국)

친애하는 동지 여러분!! 지금까지 관행에 맞게 우리를 친절
하게 맞이하여 주신 나라에게, 그리고 우리가 참석하고 있
는 이 축제를 위해서 커다란 관심과 많은 일로서 이 대회
를 준비한 우리 영국의 동지들에게, 당신들의 이름으로 감
사와 인사의 표현을 허락한 저의 인사말로 시작합니다. 우
리의 영국친구들이 우리를 초대했을 때부터 우리 모두는
그들 나라에서의 우리대회가 각별한 의미와 신기원을 이룩
할 것을 확신했습니다. 그리고 우리의 희망이 우리를 속이
지 않는다는 것을 예견하는 것은 어렵지 않았습니다. 왜냐
하면 이것을 우리의 영국 친구들의 잘 알려진 정력과 헌신
뿐만 아니라, 또한 그들 나라의 자신의 성격 역시 우리에
게 보장하기 때문입니다.

대영제국의 영광스런 대학도시에서 우리가 대회를 개최한
다는 사실은 커다란 의미를 갖고 있습니다. 그들이 모든
다른 국민들보다 덜 국제어의 필요성을 느낄 뿐만이 아니
라 그러나 그들에게 국제어의 강화는 직접 무익한 것입니
다. 왜냐하면 그러한 언어는 세상에서 무엇보다도 국제어

를 지향하는 영어와 경쟁해야 하기 때문에 영어를 사용하는 국민들이 우리에게 절대 가입하지 않을 것이라는 점을 우리 사상의 반대론자들은 끈질기게 주장하여 왔습니다. 그러나 보십시오! 우리의 반대론자들이 얼마나 허구였는가! 보십시오! 자신의 민족어 외에 다른 언어를 배우길 원치 않는 영국인들이 얼마나 많이 우리에게 이미 가입하였는가를 보십시오. 어떤 사랑을 갖고 그들이 우리 대회를 준비하였는가, 그리고 우리를 환영하기 위하여 얼마나 많은 숫자로 그들이 나타났는가! 약한 국민들뿐만 아니라 강한 국민에게도 국제어가 유익하다는 것을 사람들은 이미 이해하기 시작했다는 것을 무엇보다도 이것이 말해줍니다. 그러나 이것은 훨씬 더 중요한 다른 일을 가리킵니다. 사람들이 에스페란토주의에서 고집스런 편리성뿐만 아니라 그러나 종족간의 형제애와 정의의 중대한 이상을 봅니다. 그리고 국민이 강하거나 약하거나 종족 간의 정의가 그들에게 유익하든 유익하지 않든 똑같이 모든 국민들의 고귀한 사람들이 이 사상에 봉사하고 싶어 합니다. 우리는 에스페란토주의의 내적 사상이 영국 동지들의 대부분을 우리에게 불러왔다는 것을 압니다. 그리고 그만큼 보다 기쁘게 영국의 친구들에게 우리의 고마운 마음을 표합니다. 캠브리지 시민들은 오늘 우리를 이익을 추구하는 상인으로써가 아니라 그들이 이해하고 좋아하는 인류사상의 사도로써 우리를 맞이하였습니다. 캠브리지 시민들에게 감사하며 자신들의 건물을 빌려준 영광스런 캠브리지 대학교에 감사하며 우리의 선에 대해서 친절하게 배려한 캠브리지 시장님께 감사를 드립니다. 우리는 영국 국민들 당신에게 진심으로 감사하며 우리는 당신들의 높은 대표자 왕 폐하께 가장 존경스러운 이름으로 인사를 드립니다. 폐하 만세! 만수무강 하시옵소서! 신이 그를 보호하사!

동지 여러분! 우리 3차 대회를 개최하는 순간 지난해에 갑자기 세상을 떠난 많은 친구들에 대해서 침묵할 수 없습니다. 당신들 모두 제네바 대회 이후 우리는 독토로 로이드, 리퍼플 그룹의 회장의 불행한 죽음에 대해서 알았습니다. 우리의 일에 있어서 두 유능한 친구들인 영광스런 과학자 베르토 레트와 미카엘 호스터 교수를 잃었습니다. 끝내 지금까지의 혼이었던 가장 사랑하는 동지와 친구가 세상을 떠났습니다. 제네바 대회의 주된 동기, 우리의 상임대회 위원회를 설립한 분, 후원한 분, 영감을 준 분, 당신 모두는 제가 말하는 것에 대하여 압니다. 우리의 잊을 수 없는 친구 자발도 없습니다. 모든 나라의 에스페란토 친구들인 당신에게 우리의 일에 공감하고 있는 우리의 존경하는 손님들에게 저는 우리의 많은 자격이 있는 동지와 이미 세상을 떠난 에스페란티스토들의 기억을 영광스럽게 할 것을 의자에서 일어남으로써 영광스럽게, 거룩하게 할 것을 제안합니다.

동지 여러분! 3주 전에 에스페란토 언어의 첫 번째 책이 공개적으로 나타났을 때부터 바로 20년이 되었습니다. 세계의 모든 지역에서 에스페란티스토들이 그날을 축하했습니다. 에스페란토의 설립자로서 저는 그날의 수많은 축하의 전보와 편지를 받았습니다. 나는 비서실을 갖고 있지 않기 때문에 자유로운 시간에 모든 것을 수행하여야만 합니다. 그래서 모든 우정의 받은 편지들에 대답하는 것이 불가능함을 사람들이 쉽게 이해할 수 있지만 그래도 저를 용서하기를 바랍니다. 저는 지금 저에게 친구로서 축하를 보낸 모든 이에게 가장 성실한 감사를 표할 좋은 기회라고 생각합니다. 그 축하는 물론 저 개인에게 속한 것이 아니고 그러나 에스페란토 전체 전사자들에게 속하는 것입니다. 그리고 저는 모든 축하가 모이는 중심점에 있고 거기에서 세계의 모든 곳곳에 우리의 지칠 줄 모르는 동지가 일하는 그리고 살아있는 모든 장소로 다시 튀어나갈 것입니다. 전체 에스페란토를 여러분에게 마치 조용히 위임하는 것처럼 저는 에스페란티스토의 전사자들에게 호소합니다. 당신들 누구에게도 적지 않은 많은 공격, 불유쾌한 것들이 있음에도 불구하고 20년 동안 인내심을 갖고 잘 참아 주신 것에 대해서 저는 진심으로 당신들을 축하합니다. 저는 20년 동안의 당신들의 정력과 헌신을 바친 일의 결과에 진심으로 당신들을 축하합니다. 에스페란토를 위하여 20년 동안의 일! 그것이 무슨 뜻인지 언젠가 사람들이 에스페란토의 자세한 역사를 읽을 때 사람들은 이해할 것입니다. 우리의 지금까지의 일의 결과가 얼마나 위대한 중요성을 갖는 것인지 우리 초창기의 역사를 자세히 알 때, 모든 새로운 에스페란티스토의 탄생이 끊임없는 노력의 일로서 얻게 될 때 사람들은 그것을 후대에 언젠가는 또한 올바로 이해할 것입니다.

당신들 많은 사람들이 오랫동안 잠을 잔 씨앗에서 줄기가 태어날 때 에스페란토 주의의 지난 10년의 역사를 압니다. 그러나 당신들의 아주 적은 사람들은 보기에는 성공이 보장되지 않은 끊임없이 씨앗뿌리기로 이어진 초창기 10년의 역사를 알고 있습니다. 에스페란토주의의 역사가 언젠가는 당신에게 모든 그 당시의 씨 뿌리는 사람에 대하여 얘기할 것입니다.

지금 우리의 일이 힘차게 일어섰습니다. 세상의 편견의 얼음 층이 부서졌습니다. 그리고 우리의 일이 규칙적으로 쉼 없이 성장하고 있습니다. 매년 우리 힘이 권위 있게 커가고 있습니다. 그리고 완전하게 순탄하게 우리 목적을 향해 가고 있습니다. 수십만의 작은 뿌리들이 이미 바람을 무서워하지 않는 우리의 나무를 지지하고 있습니다. 우리에 대항하여 수많은 세월을 싸워온 자연이 지금 우리를 위하여 싸우고 있습니다. 왜냐하면 오랫동안 모든 우리의 걸음을 무섭게 방해한 그 탄성 같은 힘에 그것 스스로가 우리를 앞으로 밀기 때문입니다. 설사 우리가 멈춘다면 우리도 이미 할 수가 없습니다.

저는 오늘의 연설 본래의 주제로 넘어갑니다. 오늘 저는 당신들에게 우리 대회의 본질과 목적에 대하여 말하려고 합니다. 그러나 모든 오해를 피하기 위하여 저는 처음에 저의 연설이 공식적이 아니라는 것과 그것은 단순히 당신들 모두가 찬성하든 안하든 저의 개인의 의견을 소개하는 것을 주목하여 주십시오.

왜냐하면 우리는 세계의 모든 나라에서 매년 모일 것을 결정했고 그리고 많은 사람들이 우리의 대회에 참석하기 위하여 심지어 커다란 노력을 하고 있습니다. 그래서 우리는 우리에게 무엇을 위해서 모이는가를 설명해야 합니다.

만일 우리가 우리의 대회의 본질과 목적을 잘 인식한다면 그때 우리는 자신 앞에 그들이 가는 아름다운 목적을 보는 것처럼 항상 신선하고 절대 약해지지 않는 열정을 안고 그들에게 올 것입니다. 그러나 우리대회의 목적을 잘 인식하지 못하면 그때 우리는 곧 피곤해지고 지루해지는 목적 없이 헤매는 사람처럼 냉담해 질 것입니다. 그러면 무엇을 위해 우리는 모입니까? 에스페란토 언어의 질문에 대하여 이야기하기 위하여 우리는 모입니까? 아니요! 이들 질문은 대회에 속한 것이 아니라 전적으로 언어 위원회에 속한 것입니다. 그리고 그것을 위해서는 언어위원회의 대회로 충분합니다. 우리는 에스페란토로 말하는 것을 연습하기 위하여 모입니까? 단지 그것을 위해서는 대회까지 타고 올 필요는 없습니다. 왜냐하면 우리의 가정에서 그룹에서 1년 내내 우리는 대회에서 며칠 보다 훨씬 많이 연습할 수 있습니다. 그리고 며칠간의 언어 연습을 위하여 아무도 여행을 계획하지 않습니다. 우리는 시위를 위하여 모였고 따라서 보급하려고 모였습니까? 예! 그렇습니다. 그러나 우리가 에스페란토를 보급하는 것이 100명의 대회참석자 중 99명이 에스페란토로부터 도덕적인 혜택을 입기 때문입니까? 나는 당신들 대다수가 우리에게 하나의 대답을 줄 것을 믿어 의심치 않습니다. 우리가 에스페란토를 위해서 시위를 하고 선전하는 것은 우리가 그것으로부터 개인적으로 얻을 수 있는 유익함 때문이 아니고 그러나 에스페란토가 전 인류를 위하여 갖는 중요한 의미 때문에, 우리를, 활동적인 에스페란티스토들을 에스페란토로 이끄는 그러한 공동의 인간의 목표 때문입니다. 우리는 매년 세계의 각지로부터 동지의 만남을 즐기기 위하여 서로 악수하기 위하여 에스페란토주의가 자신이 갖고 있는 이상을 위해 열정을, 사랑을 서로의 만남과 함께 생활함으로써 우리 속에 더 뜨겁게 하기 위하여 모입니다. 활동적인 히브리인이 매년 세 번 예루살렘에 유일신의 사상으로 사랑을 실천하기 위해 모이는 것 같이 그렇게 우리는 매년 에스페란토의 사상으로 우리의 사랑을 실천하기 위해 에스페란토 나라의 수도로 모입니다. 그리고 이것이 우리 대회의 주된 본질이고 목적인 것입니다.

왜냐하면 에스페란토가 내적 사상과 강하게 연결되어 있고 그들이 사상의 구성원으로써 보이고 싶지 않기 때문에 그래서 많은 사람들이 에스페란토를 배우고 사용하고 싶어 하지 않았다는 점과 그래서 수많은 군중이 우리로부터 떠나지 않게 하기 위하여 단순한 에스페란토정신, 즉 에스페란토 언어의 사용은 아무도 그 또는 다른 사상의 구성원이 되는 것을 강요하지 않는다는 것과 모든 에스페란티스토는 전혀 자유로운 사람들로 남고 그리고 초창기 에스페란티스토들이 다른 에스페란티스토들의 사상에 책임이 없다는 것이 우리는 불로뉴 선언으로 설명되어져야만 한다는 것을 세상이 이해했습니다. 그러나 만일 단순한 실용적인 에스페란토 정신 즉, 단순히 에스페란토의 배움과 사용이 아무도 그 사상에 가입할 것을 강요하지 못합니다. 그러나 아무도 에스페란토를 위해 싸운 사람들의 모두가 또는 적어도 대부분이 그들의 일에 아주 자극이 되는 하나의 공통의 사상으로 연결되어 있다는 점은 의심하지 않습니다.

모든 개인적인 에스페란티스토들은 그들이 원하는 행동을 하고 그러한 신념을 가질 수 있습니다. 그리고 그들의 신념과 그들이 우리를 위하여 책임지지 않는 것처럼 그들의 행동에도 우리는 책임이 없습니다. 그는 대단한 에고이스트든, 민족의 국수주의자, 인간을 증오하는 사람, 또는 심지어 악한 죄인 그리고 그가 에스페란토를 사용한다면, 우리는 그에게 자신을 에스페란티스토라고 부르는 것을 불허할 수는 없습니다. 그러나 만일 그가 에스페란토 대회에 온다면, 또는 어떤 녹색 깃발을 단 어떤 에스페란토 기구에 가입하고 싶어 한다면, 그때는 그 일이 달라집니다. 그때 그는 자신의 법률과 자신의 풍습과 원칙을 가진 나라에 오게 되는 것입니다.

에스페란토계에서는 에스페란토 언어뿐만 아니라, 에스페란토 내적 사상도 존재합니다. 에스페란토계에서는 - 지금까지 자세히 구체화되지 않은 다른 것도 존재합니다. - 공식적인 일반적인 에스페란토 주의뿐만 아니라, 모든 에스페란티스토들에게 잘 느껴지는 - 녹색 깃발이 존재합니다.

녹색 깃발이 무엇인가요? 어느 상인이 자기의 물건을 팔기 위하여 에스페란토를 사용한다면, 또는 어느 스포츠인이 단순히 즐기기 위하여 에스페란토를 사용한다면, 우리 깃발은 단순한 우리언어의 표시이고 우리의 대회와 기관을 위한 단순히 서로 동의한 장식품입니다. - 우리 에스페란토 전사자들은 우리의 깃발에서 다른 것을 봅니다. 그것은 성스러운 것이고, 그것은 평화의 투쟁으로 가는 표시이며, 그것은 우리가 에스페란토를 위하여 우리는 조만간 어쩌면 수백 년 후에 중립적인 언어의 기초아래 서로를 이해하며 국민들은 서로 협력 하며 커다란 하나의 가족 공동체를 이루어 낼 것을 희망하기 때문에, 일하는 것을 우리에게 지속적으로 기억하게 하는 목소리입니다.

중립적인 언어의 기초 위에
서로 이해하면서
사람들은 동의할 것입니다
하나의 둥그런 대가족을

우리는 지속적으로 우리가 우리를 어떤 종족의 내적 사상과 혼합되는 것을 전혀 바라지 않고 그러나 우리가 종족 간에 연결된 교량을 만들기를 바라는 것을 반복합니다. 사상을 가진 에스페란티스토들의 좌우명은 지금까지 자세히 형성되지는 않았으나 그러나 명확하게 느껴지는 것은 "우리는 중립적인 기초 위에 여러 종족이 서로에게 자신의 종족의 특이점을 강요치 않고 평화스럽고, 형제로서 서로 소통할 수 있기를 우리는 중립적인 기반이 생기길 바라는 것입니다."

제 생각으로 녹색 깃발이 인류의 아름다운 공상을 가진 사람들의 이름으로 매년 세상의 모든 지역에서 우리를 불러모으는 근엄한 깃발의 좌우명이 그러합니다.

언급한 좌우명이 정확하게 모든 상세함을 형상화하기 위하여 그들은 조금씩 조금씩 매년의 모임과 함께 생활로서 형상화될 것입니다. 저는 단지 녹색의 깃발아래 만들어진 우리의 대회가 단지 에스페란토 언어의 대회가 아니고 에스페란토 내적 사상의 대회라는 것을 당신들에게 주목시키고자 합니다. 따라서 녹색 깃발에서 느끼는 모든 주제 종족간에 벽을 허무는 모든 것이 우리대회에 속하는 것입니다.

당신은 가끔 우리대회의 중립성에 대해서 들었습니다. 예, 중립성이 우리 대회의 주된 원칙입니다. 그러나 사람들은 중립성의 의미를 올바르게 이해해야 합니다. 중립성은 모든 국제 대회에 존재합니다. 그러나 거기에서의 중립성은 조약의 단순한 사항이고, 우리한테는 그것은 주된 원칙이고 우리한테는 중립성, 또는 종족 간의 관계를 보다 올바르게 중립화하는 것이 우리일의 전적인 목적이고 내용의 전부입니다. 그래서 우리는 우리 대회에서 특히 외교관에 속해 있는 정치 문제나, 교회나, 철학자에게 속해있는 특히 종교에 관한 일에서는 말해서는 안 됩니다.― 왜냐하면 녹색 깃발은 다른 종족 다른 종교단체를 모욕을 줄 수 있는 것을 우리에게 불허하기 때문입니다. 그러나 국민들 간에 평화의 교량을 창조할 수 있는 아무도 모욕을 주지 않는 모든 것, 그것은 우리 대회에서 피해질 필요는 없고, 단지 반대로 우리 대회의 본질이 되어야 합니다. 왜냐하면 그 것은 녹색 깃발에 속하기 때문입니다.

만일 우리가 녹색 깃발의 요구에 대하여 기억한다면 그때 우리는 더 많이 말하고 행동하는 것을 두려워하지 않을 것 이며, 그때 익시적으로 우리의 목적으로 다가갈 것이고 그 리고 우리의 대회가 매년 더욱 흥미롭고 세계를 위하여 더 욱 중요하게 될 것입니다. 녹색별은 침묵의 용기 없는 표 시로서 멈출 것이고 그것은 우리 일의 표시가 될 것입니다.

종족간의 벽을 허무는 것으로 안내하는 모든 것이 우리 대 회에 속합니다. 종족과 민족 간에 관계는 넓고 큽니다. 그 리고 우리가 논의할 주제는 수없이 많습니다. 예를 들면 그 또는 다른 주제에 대한 특별한 체계의 어떤 의견을 혼 합시키지 않으면서 사람들은 예를 들면 국제적인 돈의 체 계나 시간의 체계, 달력처럼 민족 간의 관계의 편리성과 중립성을 위하여 국제적인 체계를 우리대회에 제안할 수 있습니다. 그리고 그때 우리는 그 제안이 옳은지 옳지 않 은지를 탐구할 수 있습니다. 그러나 우리는 그러한 계획에 대한 토론이 우리 프로그램에 반대된다고 말해서는 안 됩 니다. 사람들은 어쩌면 또한 모든 종족 그리고 교회의 특 별한 축제와 함께 수평적으로 존재하고 국민들을 형제애로 묶는 여러 종족의 타협을 우리에게 제안할 것입니다. 모든 것을 자세하게 말할 시간이 아직 오지 않았습니다. 그래서 내가 당신들과 함께 매우 많이 말하고 싶은 것에 대하여 단지 몇 마디로써 암시하는 것을 용서하기 바랍니다. 그러나 항상 더욱더 하찮은 일에서 시작하여 중요한 일로 넘어가면서 순전히 물질적인 일에서 시작할 것입니다. - 그리고 이 모든 것을 우리는 수락하고 안하고는 우리가 판단할수 있을 것 입니다. 그러나 우리는 그것을 맹목적으로 집어 던져서는 안 될 것입니다. 왜냐하면 종족의 형제화에 봉사하는 모든 것과 종족간의 원수의 벽을 허무는 모든 것 - 만일 그것이 종족의 내적 사상 속에 혼합되지 않는다면 녹색 깃발에 속하는 것입니다.

친애하는 친구 여러분! 제 생각에 의거해 우리 대회의 목적이 되어야 한다는 것을 당신들에게 설명 드렸습니다. 한편 모든 개인 에스페란티스토는 언어를 사용하는 것으로써 만족할 수 있고 우리대회는 제 생각에 의하면 단지 언어로써만 아니고 그러나 에스페란토의 내적 사상을 위하여 일을 해야 합니다. 저는 우리의 대회를 위하여 마치 어떤 공식적인 프로그램으로써 당신에게 전혀 제안하고 싶지 않은 것이 제 개인의 의견이라는 것을 반복합니다. 우리 대회는 에스페란티스토들의 단순한 대회이어야 하고 대회규칙에 따라 모든 프로그램이 준비되는 조건으로 대회 참석자들의 대다수의 바람과 의견으로 매번 부합되고 그 대회가 아주 자유스러워야만 합니다. 그러나 당신이 저의 의견에 찬성하든 안하든, 당신이 녹색 깃발의 요구대로 일을 하고 싶든 안하든 - 저는 당신이 마음 속 깊이 녹색 깃발을 언어의 단순한 표시보다도 당신이 녹색 깃발을 느끼는 것에 더한 것을 느낀다고 믿어 의심치 않습니다. 그리고 우리가 우리대회에 참석하면 할수록, 더욱더 형제로서 친해질 것이고, 더욱더 녹색 깃발의 원칙이 우리 마음에 파고들 것입니다. 많은 사람들이 에스페란토주의에 단순한 호기심, 스포츠로써 또는 어쩌면 심지어 기대되는 이익 때문에 가입할 것입니다. 그러나 그들이 에스페란토 세계에 처음 방문하는 순간부터 그들은 자신의 뜻에 불구하고 더욱더 그 세계에 끌리고 항복하게 될 것입니다. 조금씩 조금씩 에스페란토는 미래의 인류의 형제화의 교육장이 될 것이고 이것이 우리 대회의 가장 중요한 장점들로 구성될 것입니다.

에스페란토 만세! 그러나 무엇보다도 에스페란토 내적 사상과 목적 만세!! 국민들의 형제 됨의 만세! 종족 간에 벽을 허무는 것, 모든 것 만세! 녹색 깃발이여 커지고 꽃 피워라

Parolado **en la** Guildhall (Londono) en la 21a de aŭgusto 1907

Estimata reprezentanto de la urbo Londono, karaj samideanoj!

Estas al mi tre agrable, ke mi havas nun la okazon saluti la britan popolon en ĝia granda ĉefurbo. Ni venis el Kembriĝo, kie niaj britaj samideanoj kun la plej granda laboremeco kaj gastameco preparis por ni belegan feston; ne sole niaj samideanoj, sed ankaŭ la ankoraŭ ne esperantigita urbo faris ĉion, kion ili povis, por ke ni, esperantistoj, elportu el la urbo la plej bonan rememoron. Tial nun miaj unuaj vortoj estas sincera danko por la gastameco, kiun ni ĝuis. Jam la duan fojon ni ĝuas la britan gastamecon, ĉar certe ja neniu el ni forgesis, kiel amike ni estis akceptitaj en la britaj urboj Folkestone kaj Dover antaŭ du jaroj, en la tempo de la Bulonja kongreso.

La ĉambrego, en kiu ni nun troviĝas, havis jam

multe da tre gravaj kunvenoj, kaj tie ĉi estis akceptitaj jam multe da tre gravaj gastoj. Nun tiu ĉi sama ĉambrego akceptas la ĉiulandajn reprezentantojn de la mondo esperantista. Kiuj estas tiuj novaj gastoj? Kio estas la afero, kiun ili reprezentas? La esperantismo celas la reciprokan sinkomprenadon kaj konsekvence ankaŭ estimon kaj amon inter ĉiuj gentoj kaj nacioj. Sed tiu celado estas ofte malbone komentariata, kaj sub la influo de agitado de diversaj niaj malamikoj oni ofte kulpigas nin pri celoj, kiujn ni neniam havis. Mi parolos ĉi tie pri du kulpigoj, kiujn ni ofte aŭdas. De diversaj malkontentuloj ni ofte aŭdas, ke la demando de lingvo internacia devas esti solvata en alia, pli bona maniero, sed ke ni estas obstinuloj, kiuj volas nur Esperanton.

Multajn fojojn mi ripetis, kaj en Bulonjo mi tion ĉi proklamis per oficiala deklaracio, ke la esperantismo celas nur al tio, ke ia taŭga kaj vivipova komprenilo inter la popoloj ekzistu, sed ke la formo de tiu komprenilo estas por ni - aŭ almenaŭ por mi persone - tute indiferenta; ke se, anstataŭ fari konstantajn kaj senfinajn eksperimentojn kaj teorian rezonadon, ni decidis elekti la pretan kaj elprovitan lingvon Esperanto kaj labori speciale kaj ekskluzive por ĝi, kaj fiksi por ĝi netuŝeblan fundamenton - ni faris tion ĉi ne ĉar al ni plaĉas speciale Zamenhof kaj lia verko, kaj ne tial, ke li volas esti ia papo, kiel mensoge kredigas diversaj niaj kontraŭuloj - sed nur tial, ke la esploro kaj sperto montris al ni, ke tia maniero de agado estas la sola, kiu plej certe alkondukos nin al nia celo. Ekzistas personoj, kiuj, penante deklini nin de nia vojo, havas la plej bonan kaj plej honestan intencon; ili estas tre sindonaj al nia afero, sed ili pensas, ke se ni faros tiujn plibonigojn, kiujn ĉiu el ili proponas, nia afero iros multe pli bone. Pri tiuj personoj ni estas konvinkitaj, ke pli aŭ malpli frue ili komprenos sian eraron; ili komprenos, kiel danĝeraj estas iliaj proponoj en la nuna tempo, kiam ni antaŭ ĉio bezonas plej severan unuecon, kaj ili pacience laboros kun ni laŭ la voj' elektita ĝis tiu tempo, kiam la estonteco de nia afero estos absolute ekster danĝero. Sed ekzistas aliaj personoj, kiuj laboras simple por detrui; al tiuj sinjoroj, kiujn nia bele elkreskinta arbo ne lasas dormi kaj kiuj per ĉiuj fortoj penas ĝin subfosi, ni vokas: se vi havas alian vojon, kiu povas nin konduki al nia celo pli bone kaj pli certe, montru ĝin al ni, kaj ni ĝin sekvos. Sed vi scias, ke vi proponas ne ion pretan kaj certan, sed nur supozojn kaj teoriajn opiniojn; vi scias, ke la akcepto de via tre duba kaj baldaŭ siavice kritikota plibonaĵo ruinigus la laboron de dudekjara disciplina kaj sukcesa laborado de miloj da personoj kaj nenion kreus anstataŭ ĝi; vi scias, ke se ni dekliniĝus de nia disciplina vojo kaj lasus fali Esperanton, tiam la konfido de la mondo por la ideo mondolingva, konfido fine akirita post centoj kaj miloj da faroj de nekredado, pereus por ĉiam kaj jam neniam povus esti reakirita; vi tion scias, kaj tamen vi per ĉiuj fortoj penas senkreditigi nin en la okuloj de la mondo ... Bone, daŭrigu do vian Herostratan laboradon, kaj ni iros trankvile nian vojon.

La dua kulpigo, kiun ni ofte devas aŭdi, estas tio, ke ni esperantistoj estas malbonaj patriotoj. Ĉar tiuj esperantistoj, kiuj traktas la esperantismon kiel ideon, predikas reciprokan justecon kaj fratecon inter la popoloj, kaj ĉar laŭ la opinio de la gentaj ŝovinistoj patriotismo konsistas en malamo kontraŭ ĉio, kio ne estas nia, tial ni laŭ ilia opinio estas malbonaj patriotoj, kaj ili diras, ke la esperantistoj ne amas sian patrujon. Kontraŭ tiu ĉi mensoga, malnobla kaj kalumnia kulpigo ni protestas plej energie, ni protestas per ĉiuj fibroj de nia koro! Dum la pseŭdo-patriotismo, t.e. la genta ŝovinismo, estas parto de tiu komuna malamo, kiu ĉion en la mondo detruas, la vera patriotismo estas parto de tiu granda tutmonda amo, kiu ĉion konstruas, konservas kaj feliĉigas. La esperantismo, kiu predikas amon, kaj la patriotismo, kiu ankaŭ predikas amon, neniam povas esti malamikaj inter si. Ĉiu povas paroli al ni pri ĉiuspeca amo, kaj ni kun danko lin aŭskultos; sed kiam pri amo al la patrujo parolas al ni ŝovinistoj, tiuj reprezentantoj de abomeninda malamo, tiuj mallumaj demonoj, kiuj ne sole inter la landoj, sed ankaŭ en sia propra patrujo konstante instigas homon kontraŭ homo - tiam ni kun la plej granda indigno nin deturnas. Vi, nigraj semantoj de malpaco, parolu nur pri malamo al ĉio, kio ne estas via, parolu pri egoismo, sed neniam uzu la vorton "amo", ĉar en via buŝo la sankta vorto "amo" malpuriĝas.

Vi staras nun antaŭ miaj okuloj, mia kara Litovujo, mia malfeliĉa patruio, kiun mi neniam povas forgesi, kvankam mi forlasis vin kiel juna knabo. Vi, kiun mi ofte vidas en miaj sonĝoj, vi, kiun nenia alia parto de la tero iam povos anstataŭi en mia koro, vi atestu, kiu vin pli multe, pli kore kaj pli sincere amas: ĉu mi, idea esperantisto, kiu revis pri frateco inter ĉiuj viaj loĝantoj, kvankam mi devis bedaŭrinde forlasi vin, simile al multaj centoj da miloj da aliaj viaj filoj – aŭ ĉu tiuj personoj, kiuj deziras, ke vi apartenu nur al ili, kaj ĉiuj aliaj viaj filoj estu rigardataj kiel fremduloj aŭ sklavoj! Ho patriotismo, patriotismo, kiam fine la homoj lernos kompreni ĝuste vian sencon! Kiam via sankta nomo ĉesos esti armilo en la manoj de diversaj malhonestuloj! Kiam fine ĉiu homo ricevos la rajton kaj la eblon algluiĝi per sia tuta koro al tiu peco da tero, kiu lin naskis!

Longe daŭros ankoraŭ malluma nokto sur la tero, sed ne eterne ĝi daŭros. Venos iam la tempo, kiam la homoj ĉesos esti lupoj unuj kontraŭ aliaj. Anstataŭ konstante batali inter si, elŝiri la patrujon unuj al la aliaj, perforte altrudi al si reciproke siajn lingvojn kaj morojn, ili vivos inter si pace kaj frate, en plena interkonsento ili laboros sur la tero, sur kiu ili vivas, kaj kontraŭ tiuj krudaj fortoj de la naturo, kiuj ilin ĉiujn egale atakas. Kaj kune kaj interkonsente ili celados ĉiuj al unu vero, al unu feliĉo. Kaj se iam venos tiu feliĉa tempo, ĝi estos la frukto de konstanta kaj senlaca laborado de tiuj homoj, kiujn ni vidas nun en ĉi tiu ĉambrego kaj kies nomo, ankoraŭ tre malmulte konata kaj tre malmulte ŝatata, estas "esperantistoj".

길드홀 에서

일시 : 1907.8.21
장소 : 길드홀(영국)

친애하는 런던시의 대표자, 동지 여러분!

영국의 수도에서 영국 국민들에게 인사하는 기회를 가진
것에 대하여 아주 유쾌하게 느끼고 있습니다. 우리는 영국
동지들이 가장 커다란 노고와 우리를 위하여 아름다운 축
제를 준비하고 손님을 친절히 맞이하여 주신 캠브리지에서
왔습니다. 우리 동지뿐만 아니라 또한 에스페란티스토가
생기지 않은 도시에서 우리 에스페란티스토들이 가장 좋은
추억을 갖고 가게 하기 위하여 그들이 할 수 있는 모든 것
을 다 했습니다. 그래서 지금 첫 번째 말은 우리가 즐기고
있는 손님에 대한 친절함에 대한 성실한 감사입니다. 이미
우리는 두 번 씩이나 영국의 손님 접대를 즐겼습니다. 왜
냐하면 불로뉴 대회에 즈음해서 이미 2년 전에 호우크 스
톤과 도우버의 영국 도시에서 우리가 어떻게 형제애로써
대접을 받았는 지를 아무도 우리는 잊고 있지 않습니다.

지금 우리가 있는 큰 건물은 이미 중대한 모임을 가졌고
그리고 여기에서 수많은 중요한 손님들이 대접을 받았습니
다. 지금 이 같은 건물에서 세계의 모든 나라의 에스페란

토 대표자들이 대접받고 있습니다. 누가 그들의 새로운 손님들 입니까? 그들이 대표하는 일은 무엇입니까? 에스페란토 주의는 서로의 이해를 목적으로 하고 그리고 결국은 모든 종족 간의 또는 민족 간에 존경과 사랑을 목적으로 합니다. 그러나 이 목적은 잘못 해석되어 여러 우리의 반대론자들의 행동의 선동적인 영향아래 우리가 한 번도 갖지 않는 목적에 대하여 사람들이 가끔 우리를 억울하게 합니다. 나는 여기서 우리가 가끔 듣는 두 가지 억울함을 말하고자 합니다. 여러 불만족하는 사람들로부터 우리는 가끔 국제어의 문제가 다른 방법, 더 좋은 방법으로 해결되어야만 한다 하고, 그러나 우리는 오직 에스페란토 만을 원하는 고집쟁이라는 것입니다.

나는 매번 반복했습니다. 그리고 불로뉴에서 에스페란토주의는 어떤 국민들 간에 적당한 살아있는 이해의 도구가 존재하여야 한다는 것과, 그러나 그 이해의 도구의 형태는 우리를 위해서 있어야 한다. - 또는 적어도 본인 개인적으로 - 전혀 개의치 않는 것도 목적으로 한다는 것과 만일 일정하게 끊임없이 실험과 이론을 추론하는 대신, 우리가 이미 준비된 실험을 끝낸 에스페란토를 선택하고 그것을 위하여 특별히 전적으로 일하고 그것으로써 부동의 기초를 고착시킬 것을 결정했다면 우리는 이것을 특별히 자멘호프와 그의 작품이 마음에 들어서 우리가 한 것이 아니고, 그가 여러 우리의 반대자들을 거짓말로 믿게 하는 어느 교황이 되고 싶어 하는 때문 아니고 오직 단지 탐구와 경험이 우리에게 그러한 행동 방법만이 우리의 목적으로 우리를 안내하는 가장 확실하고 유일한 것이기 때문에 우리가 이 것을 했다는 것을 공식적인 성명으로써 이것을 선언하였습 니다. 우리의 길에서 우리를 끌어 내리려 하면서 가장 좋 은, 정직한 의향을 가진 사람들도 있습니다. 그들은 우리의 일에 아주 헌신적입니다. 그러나 그들은 만일 우리가 그들 모두가 제안한, 더 좋게 하는 것을 한다면 우리의 일이 더 좋게 될 것이라고 생각합니다. 그들 개인들에 대해서 우리 는 조만간 그들이 자신들의 잘못을 이해하리라는 것을 확 신했습니다. 그들은 우리가 무엇보다도 가장 엄격한 단결 을 필요로 할 현재에 그들의 제안이 얼마나 위험한가를 이 해할 것이고, 그리고 그들은 우리의 일의 미래가 전적으로 위험 밖에 있을 때까지 선택된 길을 따라 우리와 함께 인 내심을 갖고 일할 것입니다. 그러나 단순히 파괴하기 위하 여 일하는 다른 사람들도 있습니다. 우리의 아름답게 다 자란 나무를 잠들게 내버려 두지 않고 모든 힘을 다해 그 것을 후벼 파려고 하는 사람들에게 우리는 호소합니다. 더 좋게 더 확실한 방법으로 우리를 안내하는 길이 있다면, 우리에게 보여 달라는 것입니다. 그리고 우리는 그것을 따르겠습니다. 그러나 당신들은 당신들이 제안하는 것이 어떤 준비되고 확실한 것이 아니고, 그러나 오직 추측이고 이론적인 의견이라는 것을 알고 있습니다. 당신들은 당신 들의 매우 의심스럽고, 곧 비판받을 더 좋은 방법은 20년 동안의 수천 명의 사람들을 훈련하고 성공적인 일을 망쳐 놓을 것입니다. 그리고 그것을 대신할 것이 아무것도 생기 지 않을 것입니다. 당신들은 만일 우리가 우리의 길에서 벗어나서 에스페란토를 실패하게 내버려 둔다면, 그때 세계어의 사상을 위한 세계어의 믿음, 끝내 백 년, 천 년의 불신 끝에 얻은 믿음 은 영원히 죽을 것이고 그리고 절대 다시는 얻어지지 않을 것입니다. 당신들은 그것을 압니다. 그리고 당신들은 모든 힘으로 세상의 눈에서 우리를 믿지 못하게 노력하였습니다. - 좋습니다. 당신들이 영웅적으로 가는 길의 일을 계속하십시오. 그리고 우리는 우리의 길을 조용히 가겠습니다.

우리가 듣는 두 번째 억울함은 우리는 우리가 나쁜 애국자라는 것입니다. 왜냐하면 에스페란토 주의를 사상으로 취급하는 모든 에스페란티스토들은 서로 국민들 간에 서로의 정의와 형제애를 설명하고 그리고 종족의 국수주의자들의 의견에 의하면 애국심은 우리 것이 아닌 모든 것에 대하여 증오로 구성되어있고, 그래서 그들의 의견에 따르면 우리는 나쁜 애국자들이라는 것입니다. 그리고 그들은 에스페란티스토들이 자기의 조국을 사랑하지 않는다고 말합니다. 이 거짓의 불경스럽고 중상모략에 대한 억울함에 대하여 우리는 모든 힘을 합쳐 항의합니다. 우리는 우리의 마음의 모든 신경의 섬유로써 항의 합니다. 한편 사이비 애국자 즉 종족의 국수주의는 세상에서 모든 것을 파괴하는 공동의 증오의 부분입니다. 진정한 애국심은 모든 것을 건설하고, 보존하고, 행복하게 하는 커다란 전 세계 사랑의 한 부분입니다. 사랑을 강조하는 에스페란토 주의와 사랑을 강조하는 애국심이 절대 서로 적이 될 수는 없습니다. 모두가 우리에게 모든 종류의 사랑에 대해서 말할 수 있습니다. 그리고 우리는 감사한 마음으로 그의 말을 경청할 것입니다. 그러나 국수주의자들이 우리에게 조국에 대한 사랑에 대해서 말할 때 그들 저주할 만한 증오의 대표자들, 그들 어두운 악마들이 나라와 나라 사이뿐만 아니라, 자기의 조국에서도 끊임없이 사람에 대해서 사람을 자극하고 있습니다. 그때 우리는 커다란 분개로 우리를 파괴합니다. 당신, 검은 불화의 씨앗 너의 것이 아닌 모든 것에게 증오에 대해서 말하라. 이기주의에 대해서도 말하라. 그러나 "사랑" 이라는 단어를 쓰지 말라. 왜냐하면 너의 입에 그 신성한 단어 "사랑" 이 더러워지느니라.

내가 어린 소년으로써 당신을 떠났지만 내가 절대 잊을 수 없는 나의 불행한 조국, 나의 사랑하는 리트비아! 나의 눈 앞에 지금 당신은 서 있습니다. 나의 꿈속에 종종 보는 당신, 나의 마음속에 그 땅의 어디에도 바꿀 수 없는 당신, 누가 훨씬 더 누가 더 마음속으로 더 성실하게 당신을 사랑하는가를 당신은 증명하십시오. 비록 내가 수백, 수천의 다른 당신의 아들들과 비슷하게, 유감스럽게 당신을 떠났지만 모든 당신의 주민들 사이에 형제애에 대해서 공상하는 사상을 가진 에스페란티스토 나인지 아닌지, 또는 그리고 모든 당신의 아들들이 낯선 이방인으로 또는 노예처럼 간주되고 당신이 그들에게 속하길 바라는 그러한 사람들인지 아닌지를, 호, 애국심, 애국심, 언제 당신의 의미를 끝내 사람들이 올바르게 이해하고 배울 날이 올 것인가! 언제 당신의 신성한 이름이 여러 부정직한 사람들의 손에서 무기를 빼앗을 수 있을 것인가! 언제 모든 사람들이 그들이 태어난 땅에 진심으로 정착할 권리와 가능성을 가질 것인가!

이 땅에 어두운 밤이 아직도 오래 계속될 것입니다. 그러나 영원히 계속되지는 않을 것입니다. 언젠가는 인간이 서로에게 늑대가 되는 것이 멈출 날이 올 것입니다. 서로 끊임없이 싸우고, 서로에게 조국을 분할하고 강압적으로 서로가 자신의 언어와 풍습을 강요하는 대신, 그들은 평화와 형제로써 살 것이고, 완전한 동의 아래, 그들을 똑같이 공격하는 자연의 거친 힘에 대항하여 그들이 사는 땅에서 일할 것입니다. 그리고 함께 서로 협력하여 그들은 하나의 진리, 하나의 행복을 추구할 것입니다. 그리고 언젠가는 행복한 세상이 오면 그것은 이 건물에서 우리가 보는 사람들이, 그들의 이름이 많이 잘 알려져 있지 않고, 아직 소수만이 좋아하는 에스페란티스토들의 끊임없이, 지칠 줄 모르는 노력의 결과일 것입니다.

Parolado antaŭ **la Kvara Kongreso** Esperantista en Dresden en la 17a de aŭgusto 1908

Sinjorinoj kaj sinjoroj!

Aperante antaŭ vi kiel tradicia malfermanto de la esperantistaj kongresoj, mi permesas al mi antaŭ ĉio esprimi la plej respektan dankon de nia kongreso al Lia Regnestra Moŝto la Reĝo Frederiko Aŭgusto de Saksujo por la granda honoro, kiun li faris al ni, prenante sur sin la altan protektadon de nia kvara kongreso. Mi esprimas ankaŭ profundan dankon de nia kongreso al sinjoroj la Ministroj kaj aliaj eminentaj personoj, kiuj bonvolis eniri en la honoran prezidantaron kaj honoran komitaton de nia kongreso. Mi esprimas ankaŭ nian dankon al tiuj landoj, kiuj sendis al nia kongreso oficialajn delegitojn, kaj al la alilandaj konsuloj, kiuj honoris nin per la reprezentado de iliaj landoj ĉe nia malferma kunveno. Nun la unuan fojon nia kongreso aperas sub la oficiala sankcio de regnestro kaj registaro; mi estas certa, ke la esperantistoj alte taksos la gravecon de tiu ĉi fakto; mi esperas, ke ĝi estos komenco de tiu nova tempo, kiam nia ideo ĉesos esti penado de nur privataj personoj, sed ĝi fariĝos grava tasko por la registaroj de la mondo.

En la nomo de la kvara tutmonda esperantista kongreso mi salutas la landon germanan, kies gastoj ni ĉiuj estas en la nuna momento; precipe mi salutas la saksan reĝlandon, kiu al ni, filoj de la plej diversaj landoj kaj gentoj, aranĝis belan akcepton en sia centro mem, en sia fama kultura ĉefurbo. Mi esprimas nian koran dankon al la saksa registaro kaj precipe al la Dresdena urbestraro por la tuta helpo, kiun ili donis al nia kongreso, kaj por la saluto, kiun ili aŭdigis al ni per siaj estimataj reprezentantoj.

Fine mi esprimas, certe en la nomo de ĉiuj esperantistoj, nian koran kamaradan dankon al niaj germanaj samideanoj kaj antaŭ ĉio al nia Kvaro por la Kvara, kiu prenis sur sin la malfacilan taskon, aranĝi nian kongreson ĝuste en ĉi tiu jaro, kiam ekzistis tiom da malhelpoj, kaj kiu, dank' al sia granda sindoneco, aranĝis ĉion en la plej bona maniero kaj enskribis per tio tre gravan paĝon en la historion de nia afero.

Germanujo, la lando de la filozofoj kaj poetoj, kiu estis iam la centro de la humanistoj, havas por nia ideo specialan signifon per tio, ke en ĉi tiu lando, dank' al la neforgesebla granda merito de la pastro Johann Martin Schleyer, nia ideo ricevis sian unuan disvolviĝon kaj la unuan potencan puŝon antaŭen. Germanujo sekvei estas la lulilo de la ideo de lingvo internacia. Ni, speciale esperantistoj, havis ankaŭ en Germanujo niajn unuajn plej gravajn batalantojn, Einstein kaj Trompeter. Estas vero, ke poste en la daŭro de tre longa tempo nia ideo en ĉi tiu lando ŝajnis tute mortinta; sed en la lastaj jaroj ĝi tie ĉi denove vigle reviviĝis, kaj ni havas plenan esperon, ke post nia nuna kongreso, kiam la germanoj ekkonos nin pli proksime kaj konvinkiĝos per siaj propraj okuloj kaj oreloj, ke ni ne estas iaj teoriaj fantaziuloj, nia afero ĉi tie ekfloros ne malpli potence, ol en la aliaj grandaj landoj, kaj en la komuna ĉiuhoma afero Germanujo baldaŭ okupos unu el la plej honoraj lokoj.

Karaj samideanoj!
En la daŭro de la lasta jaro en nia afero okazis faktoj, kiuj maltrankviligis por iom da tempo la mondon esperantistan. Nun ĉio jam denove trankviliĝis. Nia arbo, pri kiu mi parolis en Kembriĝo, en la pasinta jaro plej konvinke montris sian tutan fortecon kaj sanecon, ĉar malgraŭ la tute ne atenditaj atakoj, kiuj en la daŭro de kelka tempo kaŭzis grandan krakadon, la arbo konservis sian tutan potencon kaj perdis nur tre malmultajn fdliojn. Malgraŭ la kaŝite preparitaj kaj rapide plenumitaj atakoj, kiuj ne donis al niaj soldatoj la povon dece orientiĝi kaj interkomunikiĝi, ĉiu el ili sur sia aparta loko staris forte kontraŭ ĉiuj forlogoj, kaj nur tre malmultaj lasis sin kapti per lertaj vortoj. Super la okazintaj faktoj ni povus sekve silente transiri al la tagordo. Tamen, por gardi niajn venontajn batalontojn kontraŭ similaj surprizoj, mi permesos al mi diri kelke da vortoj pri tiu temo. El la tempo pasinta ni ĉerpu instruon por la tempo venonta.

Pasis jam ĝuste tridek jaroj de la momento,

kiam Esperanto unue aperis antaŭ malgranda rondo da amikoj; pasis jam dudek unu jaroj de la momento, kiam Esperanto unue aperis publike antaŭ la mondo. Tre malforta ĝi estis en la unua tempo; ĉiu plej malgranda bloveto povis ĝin renversi kaj mortigi. Ĉiu bona vorto de la plej sensignifa homo aŭ de la plej senvalora gazeto donis al niaj pioniroj esperon kaj kuraĝon; ĉiu atakanta vorto kaŭzis al ili doloron. Kiam antaŭ dudek jaroj la Amerika Filozofia Societo volis preni la aferon de lingvo internacia en siajn manojn, tio estis por la aŭtoro de Esperanto tiel altega kaj neatingebla aŭtoritato, ke li, kiu tiam havis ankoraŭ la rajton disponi pri Esperanto, tuj decidis fordoni ĉion al la manoj de tiu societo, ĉar, estante tute sensperta, li tiam ankoraŭ ne sciis, kia grandega diferenco estas inter teorio kaj praktiko.

Feliĉe la entrepreno de la Amerika Societo ne sukcesis. Mi uzas la vorton "feliĉe", ĉar efektive nun, kiam mi estas pli sperta, por mi estas afero tute senduba, ke, se la entrepreno de tiuj teoriistoj daŭrus iom pli longe, la tuta ideo de lingvo internacia jam delonge estus tute senkreditigita kaj enterigita por ĉiam, aŭ almenaŭ por tre longa, longa tempo.

Niaj pioniroj laboris, kaj la afero kreskis. Baldaŭ ni ĉiam pli kaj pli akiradis la konvinkon, ke de teoriistoj ni devas atendi tre malmulte da bono por nia afero; ke ĉiuj laŭdoj kaj mallaŭdoj de flankaj personoj havas por ni nur tre malgrandan signifon; ke ni devas fidi nur niajn proprajn fortojn, nian propran paciencon kaj konstantecon; ke la mondo venos al ni nur tiam, kiam ĝi vidos en ni potencon, kiam ĝi vidos, ke ni ne palpas en mallumo, ke ni ne perdas hodiaŭ, kion ni akiris hieraŭ, ke nia vojo estas klara kaj rekta kaj ni de ĝi neniam deflankiĝas.

Sed ne per unu fojo ni venis al tiu fortika konvinko. En la unua tempo, vidante, ke nia afero progresas tre malrapide kaj malfacile, multaj esperantistoj pensis, ke la kaŭzo de tio kuŝas en nia lingvo mem, ke, se ni nur sanĝos tiun aŭ alian detalon, la mondo tuj venos al ni en granda amaso. Tiam venis la periodo de la granda postulado de reformoj. Feliĉe tiu periodo daŭris ne longe. La esperantistoj baldaŭ konvinkiĝis, ke veni al ia komuna, ĉiujn kontentiganta kaj silentiganta interkonsento pri la esenco de la reformoj estas tute ne eble, kaj la ekstera mondo, kiun la reformemuloj celis, restis absolute indiferenta koncerne tion, ĉu tiu aŭ alia detalo havas en nia lingvo tian formon aŭ alian; oni baldaŭ konvinkiĝis, ke per reformado ni nur perdos ĉion ĝis nun akiritan kaj gajnos absolute nenion. Tiam la esperantistoj firme decidis ne paroli plu pri iaj reformoj. Kelkaj tre malmultaj malkontentuloj forlasis Esperanton kaj kune kun kelkaj neesperantistoj, kiuj rigardis sin kiel plej kompetentajn en la afero de lingvo internacia, komencis inter si ĝis nun ankoraŭ ne finiĝintan kaj neniam finiĝontan diskutadon pri diversaj lingvaj detaloj, kaj ili staras nun sur tiu sama punkto, sur kiu ili staris antaŭ dekkvar jaroj. La tuta cetera esperantistaro en plena harmonio forte grupiĝis ĉirkaŭ sia konstanta standardo kaj faris de tiu tempo grandan, grandegan marŝon antaŭen.

De la tempo, kiam la esperantistoj ĉesis paroli pri reformoj, komenciĝis por Esperanto periodo ĉiam pli kaj pli brilanta. En la komenco, sub la premo de tre grandaj malhelpoj eksteraj, ni progresadis tre malrapide kaj malfacile. Sed sub la influo de nia plena interna harmonio kaj nia nedekliniĝa irado rekte antaŭen, niaj fortoj ĉiam pli kaj pli kreskis. Nun ni atingis tian potencon, pri kiu multaj el ni antaŭ dek jaroj ne kuraĝis eĉ revi, kaj se ni marŝos en tia sama harmonio kiel ĝis nun, nenia forto en la mondo povos haltigi nian iradon, kaj ni plene atingos nian celon. Ĉiuhore kreskas la nombro de niaj partianoj, ĉiutage pligrandiĝas la nombro de niaj grupoj. Nia literaturo kreskas tiel senhalte kaj rapide, ke multaj malgrandai nacioj jam nun povas nin envii. La praktika uzado de nia lingvo fariĝas ĉiam pli kaj pli granda. Dum ankoraŭ antaŭ ne longe oni tute silentis pri ni kaj poste oni nin mokis, nun oni jam ĉie nin respektas, kiel grandan potencon. Eĉ tiuj niaj principaj kontraŭuloj, kiuj antaŭ ne longe malŝate rigardis nin de alte, nun jam krias alarmon.

Nia lingvo mem konstante pli riĉiĝas kaj elastiĝas. Iom post iom konstante aperas novaj vortoj kaj formoj, unuj fortikiĝas, aliaj ĉesas esti uzataj. Ĉio fariĝas kviete, senskue kaj eĉ nerimarkeble. Nenie montriĝas ia diferenciĝado de nia lingvo laŭ la diversaj landoj, kaj ju pli spertaj fariĝas la aŭtoroj, des pli similiĝas reciproke ilia uzado de nia lingvo, malgraŭ la granda malproksimeco de iliaj lokoj de loĝado. Nenie rompiĝas aŭ difektiĝas la kontinueco inter la lingvo malnova kaj nova, kaj malgraŭ la fakto, ke nia lingvo forte disvolviĝas, ĉiu nova esperantisto legas la verkojn de antaŭ dudek jaroj kun tia sama perfekta facileco, kiel esperantisto tiutempa, kaj li eĉ ne rimarkas, ke tiuj verkoj estas skribitaj ne nun, sed en la unua, suĉinfana periodo de nia lingvo.

Nia afero regule kaj trankvile iras antaŭen. La tempo de la teoriaj juĝoj kaj de kliniĝado antaŭ ŝajnaj aŭtoritatoj jam de longe pasis. Se iu nun esprimas sian opinion aŭ konsilon pri Esperanto, oni jam ne demandas, ĉu li estas homo grandfama aŭ ne, - oni nur demandas, ĉu liaj konsiloj estas konformaj al la naturaj bezonoj kaj la natura irado de nia lingvo aŭ ne. Se iu glornoma persono en plena nesciado de nia afero esprimas iun el tiuj sensencaĵoj, kiujn ni jam tiel ofte aŭdis, ekzemple, ke arta lingvo estas utopio, ke la esperantistoj sin reciproke ne komprenas k.t.p., aŭ se li, forgesante la nunan staton de Esperanto kaj la teruran ekzemplon de la volapuka akademio, postulas, ke ni rebaku la tutan lingvon laŭ lia teoria recepto, – tiam ni, esperantistoj, indiferente ĉion aŭskultas kaj trankvile iras nian vojon.

Ne por fieri pri nia forteco mi diras ĉion ĉi tion: neniu el ni havas la rajton esti fiera, ĉar nia forteco ne estas la merito de iu el ni aparte, sed ĝi estas nur la rezultato de multejara pacienca laborado de multo da personoj. Mi volis nur atentigi vin pri tio, ke en nia afero ĉio povas esti atingita nur per harmonio kaj konstanteco. Se nin ne gvidus fera konstanteco, nia lingvo jam de longe ne ekzistus, kaj la vortoj "lingvo internacia" estus nun la plej granda mokataĵo por la mondo.

La longa kaj malfacila batalado nin hardis, kaj ne sole la voĉoj de apartaj personoj, sed eĉ la premo de ia granda potenco nun jam ne povus deklini la esperantistaron de ĝia klara kaj rekta vojo. Kia do estas la kaŭzo, ke en la pasinta jaro en nia tendaro subite naskiĝis tia granda vento, kiu en la daŭro de momento minacis alporti al ni tiom da malbono? Kiu estis tiu ŝajne grandega forto, kiu por momento enportis tian neatenditan konfuzon en nian mezon? Nun, kiam ĉio jam klariĝis, ni povas konfesi, ke ĝi ne estis ia eksterordinare granda potenco, ĝi estis simple kelkaj malmultaj personoj; sed la danĝereco de ilia atako konsistis en tio, ke tiu atako ne venis malkaŝe el ekstere, sed ĝi estis kaŝite preparita kaj tute neatendite aranĝita interne de nia tendaro.

Ĝi estas historio, pri kiu mi ne volas paroli. Nun mi volas nur diri jenon: ni ĉiuj estas reprezentantoj de la ideo de lingvo internacia, ni faru kun ĝi, kion ni volas, sed ni agu honeste kaj ni memoru, ke pri niaj agoj la estonteco severe nin juĝos. Memoru, ke Esperanto estas nenies proprajˆo, ke la esperantistoj havas plenan rajton fari kun ĝi ĉion, kion ili volas, se ili nur faros ĝin singarde, lojale kaj interkonsente. Nur por gardi nian lingvon kontraŭ anarĥio de la flanko de apartaj personoj, nia lingvo havas sian plej senpartie elektitan kaj el plej kompetentaj personoj konsistantan kaj konsistontan Lingvan Komitaton, kiu, dependante de neniu mastro, havas plenan rajton kaj plenan povon esplori kaj prezenti al la sankcio de la esperantistaro ĉion, kion ĝi volos. La Bulonja Deklaracio malpermesas nur, ke apartaj personoj rompu la lingvon arbitre, ĝi estas kreita nur por gardi la ekstreme necesan kontinuecon en nia lingvo. Se iu el vi trovas, ke ni devas fari tion aŭ alian, prezentu vian deziron al la Lingva Komitato. Se tiu Komitato ŝajnos al vi tro konservativa, tiam memoru, ke ĝi ekzistas ne por la plenumado de diversaj personaj kapricoj, sed por la gardado de la interesoj de la tuta esperantistaro; ke pli bone estas, ke la Komitato faru tro malmulte, ol ke ĝi facilanime faru ian pason, kiu povus malutili al nia tuta afero. Ĉar vi ĉiuj konfesas, ke la esenco de nia lingvo estas ĝusta kaj oni povas disputi nur pri detaloj, tial ĉio bona kaj ĉio efektive necesa povas facile esti farata en ĝi per vojo lojala, en harmonio kaj paco.

La personoj, kiuj volas altrudi al la tuta esperantistaro siajn dezirojn, diras ordinare, ke ili havas la plej bonajn ideojn, kiujn la plimulto da esperantistoj certe aprobus, sed iaj ĉefoj ne volas ilin aŭskulti kaj ne permesas al ili prezenti siajn ideojn por esplorado. Tio estas ne vera. Vi scias, ke laŭ la nova ordo, kiun per komuna voĉdonado akceptis por si nia Lingva Komitato, ĉiu homo ne sole havas la rajton prezenti al la Komitato siajn proponojn, sed se la propono havas eĉ nur plej malgrandan ŝajnon de seriozeco, se inter la cent membroj de la Komitato la propono akiris por si eĉ nur la aprobon de kvin personoj, tio jam sufiĉas, ke la Lingva Komitato estu devigata esplori tiun proponon. Vi vidas sekve, ke neniu povas plendi, ke oni lin ne aŭskultas aŭ ke iaj ĉefoj prezentas al voĉdonado nur tion, kion ili deziras.

Se iu diras al vi, ke oni devas ĉion krude rompi, se oni per ĉiuj fortoj kaj per ĉiuj eblaj rimedoj penas malkontentigi vin; se de la vojo de severa unueco, de tiu sola vojo, kiu povas konduki nin al nia celo, oni penas forlogi vin, - tiam gardu vin! tiam sciu, ke tio kondukas al malordigo de ĉio, kion multaj miloj da personoj atingis por la granda ĉiuhoma ideo per multejara pacienca laborado.

Mi finis. Pardonu al mi la malagrablan temon, kiun mi elektis. Ĝi estas la unua kaj esprereble ankaŭ la lasta fojo en la historio de niaj kongresoj. Kaj nun ni ĉion forgesu; ni komencu la grandan feston, por kiu ni ĉiuj kunvenis el la diversaj landoj de la mondo; ni ĝoje pasigu nian grandan ĉiujaran semajnon de la pure homara festo. Ni memoru pri tio, ke niaj kongresoj estas ekzercanta kaj edukanta antaŭparolo por la historio de la estonta interfratigita homaro. Por ni estas gravaj ne iaj bagatelaj eksteraj detalajoj de nia lingvo, sed ĝia esenco, ĝia ideo kaj celo, tial ni antaŭ ĉio devas zorgi pri ĝia seninterrompa vivado, pri ĝia senhalta kreskado. Granda estas la diferenco inter homo-infano kaj homo-viro; granda eble estos la diferenco inter la nuna Esperanto kaj la evoluciinta Esperanto de post multaj jarcentoj; sed dank' al nia diligenta gardado, la lingvo fortike vivos, malgraŭ ĉiuj atencoj, ĝia spirito fortiĝos, ĝia celo estos atingita, kaj niaj nepoj benos nian paciencon.

4차 에스페란토 세계 대회

일시 : 1908.8.17
장소 : 드레스덴(독일)

신사 숙녀 여러분!

에스페란토 대회의 전통적인 개최자로써 당신들 앞에 나타나면서, 저는 무엇보다도 우리대회의 가장 존경스런 감사를, 우리 대회의 높은 후원자를 자처하시고 우리에게 보여주신 커다란 영광을 위하여 삭스 공화국의 프레드릭 아우그스트 왕이신 국가원수 전하께 표시함을 허락해 주십시오. 저는 우리대회의 명예위원회로 들어오신 신사들, 장관들, 그리고 다른 유명한 분들에게 우리대회의 깊은 감사를 또한 표합니다. 저는 우리 대회에 공식적인 대표자를 보내주신 그들 나라에게, 우리대회의 개최에 즈음하여 그들 나라들의 대표자로써 우리를 명예스럽게 한 다른 나라의 영사들에게 우리의 감사를 표하고자 합니다. 지금 최초로 우리의 대회가 국가원수 그리고 정부의 공식적인 인가 아래 개최되고 있습니다. 저는 에스페란티스토들이 이런 사실의 중대성을 높이 평가할 것이 확실합니다. 저는 우리의 사상의 개인적인 사람들의 노력이 끝나고 그러나 그것이 세계의 정부들을 위한 중요한 임무가 되는 새로운 시대의 초창기가 되길 희망합니다.

네 번째 전 세계 에스페란티스토 대회의 이름으로 저는 우리 모두가 현재 방문하고 있는 독일 나라에 인사를 드립니다. 특히 저는 매우 다른 나라와 종족의 아들들인 우리에게 자기의 유명한 문화 수도, 그 중심에서 아름답게 영접을 준비하신 삭스 왕국에게 인사를 드립니다. 저는 삭스 정부에게, 특히 그들이 우리대회에 베풀어 주신 전반적인 도움에 대하여 드레스덴 시장님에게, 그리고 그들이 자신의 존경하는 대표자로써 우리에게 전해주신 인사에 대하여, 마음의 감사를 표합니다.

끝내, 우리의 독일 동지들에게 그리고 무엇보다도 많은 방해가 있는 올해 바로, 대회 준비를 위한 어려운 임무를 맡고 그리고 커다란 헌신 덕분에 가장 좋은 방법으로 모든 것을 준비하고, 우리일의 역사에 중대한 한 페이지를 그것으로써 서명한, 우리의 네 번째 대회를 위한, 네 사람에게, 저는 모든 에스페란티스토들의 이름으로 우리의 마음의 친구의 감사함을 표시하는 바입니다.

한때 휴머니스트들의 중심지였고 철학자와 시인들의 나라 독일은, 이 나라에서의 요한 마르틴 슐라이어 신부의 잊을 수 없는 커다란 공적 덕분에 우리 사상이 최초로 권위 있는 전진과 최초로 펼쳐졌음으로 인해서 우리 사상을 위해 특별한 의미를 갖고 있습니다. 독일은 따라서 국제어 사상의 요람입니다. 우리 특히 에스페란티스토들은 독일에서 우리의 최초의 아주 중요한 전사자들인 "아인슈타인" 과 "

트롬페테르" 를 갖고 있습니다. 후에 아주 오랜 기간 동안
이 나라에서 우리의 사상이 죽은 것 같이 보였던 것이 사
실입니다. 그러나 최근에는 그것이 여기에서 또다시 활발
하게 되살아났고, 그리고 우리는 독일인들이 더욱 가까이
우리를 인식하고 그리고 자신의 눈과 귀로 우리가 어떤 이
론적인 환상가들이 아님을 확인한 현재 대회 후에, 우리의
일이 여기에서 다른 나라에서 보다도 권위 있게 꽃 필 것
이라는 점과 그리고, 공동의 모든 인간의 일에서, 독일이
곧 가장 영광스런 자리중 하나를 차지할 것에 대하여 우리
는 완전한 희망을 갖게 되었습니다.

친애하는 동지 여러분 !
지난해 동안에는 우리의 일에 에스페란토 세계를 잠깐 불
안하게 한 사건이 발생했습니다. 지금 모든 것이 또다시
조용해졌습니다. 캠브리지에서 제가 말한 우리의 나무가
지난해에 얼마 동안 커다란 균열을 야기한, 전혀 뜻밖의
공격에도 불구하고 그 나무가 권위를 간직했고 몇 개의 나
뭇잎만 잃어 버렸기 때문에, 지난해에 보다 확신으로 전체
의 강인함과 건강함을 보여 줬습니다. 적합하게 방향을 정
하고 협의할 능력을 우리 군인들에게 주지 않았던, 몰래
준비되고 갑작스럽게 수행된 공격에도 불구하고 그들 모두
가 모든 유혹에 대하여 각자의 위치에 굳세게 서 있었고
그리고 아주 극히 적은 사람들이 능숙한 말로써 잡혔습니
다. 일어난 일을 무시하고 우리는 조용히 일상적인 일로
넘어갈 수 있었을 텐데. 그러나 비슷한 놀람에 우리의 다
음의 전사자들을 보호하기 위하여 저는 그 주제에 대해서

몇 가지 말씀을 드리겠습니다. 과거에서 우리는 다가올 미래의 교훈을 얻읍시다.

에스페란토가 처음에 친구들의 작은 그룹에 나타났을 때로부터 이미 꼭 30년이 흘렀습니다. 세상에 에스페란토가 처음으로 공개적으로 나타났을 때로부터 21년이 이미 지났습니다. 초창기에는 그것이 매우 허약했습니다. 모든 작은 바람도 그것을 넘어뜨리고 죽일 수 있었습니다. 가장 의미 없는 사람의 또는 값어치 없는 잡지의 모든 좋은 말이 우리의 개척자들에게 희망과 용기를 주었습니다. 모든 공격적인 말이 그들에게 아픔을 주었습니다. 20년 전에 미국 철학협회가 국제어의 일을 자기 손 안에 접수하고 싶어 했을 때, 그것은 에스페란토 저자가 높고 그리고 도달할 수 없는 권위를 갖고 있었기 때문에, 그래서 그때까지만 해도 에스페란토를 마음대로 처리할 권한을 가진 그가 경험이 없고, 그때까지 이론과 실제가 커다란 괴리가 있다는 것을 알지 못해서, 그 협회의 손아귀에 넘겨 줄 것을 결정하였습니다.

다행이 미국 협회의 기도는 성공하지 못했습니다. 저는 실로 지금 제가 더욱 경험을 갖게 되었을 때, 만일 그 이론가들의 기도가 좀 더 길게 진행되었더라면 국제어의 사상은 이미 오래 전에 믿음이 없어지고 영원히 또는 적어도 아주 오랫동안 땅에 묻혔을 것이며, 그것은 나에게는 의심할 바 없는 일이기 때문에 "다행히" 라는 용어를 쓰는 것입니다.

우리의 개척자들이 일했고 그리고 그 일이 커졌습니다. 이론가들로부터는 우리가 우리 일을 위해 아주 조그마한 선을 기대해야만 한다는 것과 측면의 사람들의 칭찬이나 질타는 우리에게 아주 작은 의미를 갖는다는 것과 우리는 우리 자신의 힘을, 우리 자신의 인내와 일관성을 믿어야 한다는 것과, 세상이 우리 안에서 권위를 볼 때, 그것이 우리가 어둠 속에서 헤매지 않는 다는 것을 알 때, 어제 얻은 것을 오늘 잃지 않고 우리의 일이 투명하고 곧고 그리고 우리가 그것으로부터 절대 벗어나지 않는다는 것을 그것이 알 때, 그때 세상이 우리에게 다가오리라는 것에 대해, 곧 우리는 점차 더욱더 확신을 갖게 되었습니다.

그러나 한 번에 우리가 그 확고한 확신으로 다가선 것이 아닙니다. 초창기에는 우리의 일이 매우 느리고 어렵게 진행하는 것을 보면서, 많은 에스페란티스토들은 그 원인이 우리 언어 안에 있다는 것과, 만일 우리가 그것 또는 다른 사소한 것을 수정하면, 세계는 곧 커다란 군중으로 우리에게 다가올 것이라는 점을 생각했습니다. 그때 개혁의 커다란 요구하는 기간이 왔습니다. 다행이 그 기간이 길지는 않았습니다. 개혁의 본질에 대하여 공동으로 모두 만족하고 조용하게 타협하는 것이 전혀 불가능 하다는 것과 개혁자들이 노리는 외부 세계가, 그 또한 다른 사소한 것이 우리의 언어에 있어서 그러한 형태를 또는 다른 것을 갖든지 간에 그것과 관련해서 전혀 상관하지 않는다는 것과 사람들이 곧 개혁으로써 우리가 오직 지금까지 얻은 것을 모두

잃고 아무것도 얻을 수 없다는 것을 확신하게 됨을 에스페란티스토들은 곧 확신했습니다. 그때 에스페란티스토들은 더 이상 어떤 개혁에 관해서 말하지 않기로 결정하였습니다. 몇몇의 소수의 불만자들이 에스페란토를 떠났고 국제어의 일에서 가장 능력 있는 자로 자신을 간주하는 몇 명의 비에스페란티스토와 함께 그들 사이에 지금까지 끝내지 못 한, 앞으로 절대 끝내지지 않을 여러 가지 언어의 사소한 문제들에 대하여 토론하기 시작했습니다. 그리고 그들이 14년 전에 있었던 그 위치에 지금도 서 있는 것입니다. 완전한 조화로 그 밖의 에스페란티스토들이 자신이 굳건한 깃발 주위에 강하게 그룹을 형성하고 그때부터 커다란, 앞으로 전진하는 커다란 행진을 했습니다.

개혁에 대해서 말하는 것을 멈출 때부터 에스페란토에 있어서 더욱 더 빛나는 기간이 되었습니다. 처음에 외부의 커다란 방해의 압력 아래 우리는 매우 느리게 그리고 어렵게 발전해 갔습니다. 그러나 우리의 완전한 내적인 조화와 그리고 길에서 벗어남이 없는 똑바로 앞으로의 전진의 영향 아래, 우리의 힘이 항상 더욱 더욱 커져만 갔습니다. 지금 우리는 우리들 대다수가 10년 전에 용기도 가질 수 없었고 단지 공상만 한 그러한 권위에 도달했습니다. 그리고 지금처럼 그러한 조화로 행진한다면, 세상에 아무 힘도 우리의 전진을 멈추게 할 수 없을 것이고 그리고 우리는 우리의 목적에 완전히 도달할 것입니다. 매시간에 우리 쪽의 회원 수가 증가하였습니다. 매일 우리 그룹의 숫자가 커져만 갔습니다. 우리의 문학이 그렇게 쉼 없이 빨리 증가하기 때문에, 많은 작은 민족들이 지금 우리를 이미 부러워하고 있습니다. 우리 언어의 실제 사용이 항상 더욱 더욱 커져만 갔습니다. 한편 아직도 얼마 전에 사람들은 우리에 대하여 침묵을 지켰고 그리고 후에 사람들은 우리를 조롱했습니다. 지금은 도처에서 우리를 커다란 권력처럼 존경합니다. 얼마 전에 심지어 우리를 높은 곳에서 비아냥거리며 쳐다보던 근본적인 반대론자들도 지금 경고를 외칩니다.

우리언어가 꾸준하게 보다 풍부해지고 탄력적이게 되었습니다. 조금씩 조금씩 새로운 단어와 형태가 나타나고, 어떤 것들은 강해졌다가, 다른 것들은 사용이 중지됩니다. 모든 것이 조용히, 흔들림 없이, 그리고 심지어 눈에 띄지 않게 이루어집니다. 여러 나라에서 우리 언어의 차이점이 아무 곳에서도 나타나지 않았습니다, 그리고 작가들이 경험이 많으면 많을수록, 더욱더 서로 사는 곳이 대단히 먼 장소임에도 불구하고 우리의 언어의 사용이 서로 비슷해집니다. 옛날 것과 새로운 언어 사이에 일정함이 부서지고 피해를 입지 않습니다. 그리고 우리의 언어가 힘차게 보급되었음에도 불구하고, 모든 새로운 에스페란티스토들이 그 당시의 에스페란티스토 들처럼, 같이 아주 쉽게 20년 전의 작품을 읽습니다. 그리고 그는 심지어 그 작품이 지금 쓰여진 것이 아니고 처음에 언어의 젖먹이 시절, 초창기에 써졌다는 것을 깨닫지 못합니다.

우리의 일은 규칙적으로 조용히 전진하고 있습니다. 이론적인 판단과 권력 비슷한 것에 굽실거리는 시간은 이미 지났습니다. 만일 에스페란토에 대하여 권고와 의견을 피력한다면 사람들은 그가 유명인인지 아닌지를 이미 묻지 않습니다, - 사람들은 오직 그의 권고가 자연적인 필요와, 그리고 또, 우리의 언어가 자연적인 발전으로 가는지 않는지를 묻습니다. 우리의 일을 모르는 어떤 유명한 인사가 우리가 그렇게 자주 듣는 무의미한 것 중에서 어떤 것을 언급 한다면, 예를 들면, 인공어는 에스페란티스토들도 서로 이해할 수 없는 이상론이다 등등 또는 만일 그가 에스페란토의 현재 상태와 볼라퓌크 학술원의 지독한 예제를 잊고, 우리가 이론적인 방법에 따라 전체 언어를 토론할 것을 그가 요구한다면, 그때 우리 에스페란티스토들은 모든 것을 냉담하게 들을 것이고 그리고 조용히 우리의 길로 갈 것입니다.

우리의 강인함에 대해 자랑하지 않기 위하여 나는 이 모든 것을 말합니다. 우리 중 아무도 자랑할 권리가 없습니다. 왜냐하면 우리의 강인함이 우리 누구의 띠로의 공적이 아니고, 그러나 그것은 오직 수많은 사람들의 수년간의 인내의 노력의 결과이기 때문입니다. 나는 우리의 일에 있어서 모든 것이 조화와 지속성으로써만 도달될 수 있다는 것을 당신에게 주목하게 하고 싶습니다. 쇠처럼 꾸준함이 우리를 이끌지 않았다면 우리 언어는 이미 오래 전에 사라졌고, "국제어" 라는 단어는 세상에 커다란 웃음거리가 되었을 것입니다.

오랜 그리고 어려운 싸움이 우리를 단련시켰고, 개인적인 사람의 목소리뿐만 아니라, 그러나 심지어 이미 어떤 권력의 압력도 그것의 투명하고 곧은 길에서 에스페란토를 벗어나게 할 수는 없습니다. 지난해에 우리의 천막 속에 잠간 동안 우리에게 그 많은 악을 가져온 위협적인 커다란 바람이 갑자기 생긴 원인은 어떠합니까? 우리 가운데에 잠깐 그러한 뜻밖의 혼란을 가져온 아마도 커다란 힘은 무엇입니까? 지금 모든 것이 밝혀졌을 때 우리는 그것이 특이하게 커다란 권력이 아니고, 그것은 단순히 몇 사람, 적은 사람들이라는 것을 시인 할 수 있습니다. 그러나 그들의 공격의 위험성은, 그의 공격이 외부에서 드러내 놓고 온 것이 아니고, 그러나 그것은 몰래 숨어서 준비되었고, 전혀 의외로 우리 천막의 내부에서 준비된 것 이었습니다.

그것이 제가 말하고 싶지 않은 역사입니다. 지금 저는 다음과 같은 것을 말하고 싶습니다. 우리 모두가 국제어 사상의 대표자들입니다, 우리는 우리가 원하는 것과 함께 하고, 그러나 우리는 정직하게 행동합니다. 그리고 우리는 우리의 행동에 대해서 미래가 엄하게 심판할 것을 기억하고자 합니다. 에스페란토가 누구의 재산도 아니라는 것과, 만일 에스페란티스토들이 그것을 조심스럽게, 충직하게, 서로 협의하여 행한다면, 그들은 그들이 원하는 모든 것을 그것과 함께 할 완전한 권리를 갖고 있다는 것을 기억하십시오. 따로 사람들의 측면의 무질서에 대해 우리의 언어를 지키기 위하여 우리의 언어는 가장 공평하게 선출된, 가장 능력 있는, 사람들로 이루어지고 구성될, 언어 위원회가 있습니다. 그 언어 위원회는 아무에게도 의존하지 않으면서, 완전한 권리와 그것이 원하는 모든 것을 에스페란티스토 집단의 승인을 위하여 소개하고, 탐구할 완전한 능력을 갖고 있습니다. 불로뉴 선언에서도 따로 사람들이 멋대로 파괴하는 것을 불허합니다. 그것은 오직 우리의 언어에 있어서 꼭 필요한 계속성을 지키기 위하여 만들어 졌습니다. 만일 당신들 중 누가, 우리가 그것을 또는 다른 것을 해야 한다는 것을 발견한다면, 당신의 바람을 꼭 언어 위원회에 소개하십시오. 그 위원회가 당신에게 너무 보수적인 것 같아 보이면, 여러 개인적인 변덕맞은 생각을 수행하기 위해서가 아니고, 그러나 전체 에스페란티스토 집단의 관심을 지키기 위하여 그것이 존재한다는 것과 위원회는 우리 전체 일에 무익함을 주는 어떤 걸음을 쉽게 하는 것보다 아주 적게 하는 것이 더 낫다는 것을 그때 기억하십시오. 왜냐 하면 우리 모두가 우리의 언어의 본질이 옳고 그리고 사람들은 오직 사소함에 대해서 토론할 수 있고, 그래서 좋은 모든 것, 실제로 필요한 모든 것은 충직한 방법으로, 조화와, 평화 속에 쉽게 해결될 수 있을 것을 당신들 모두는 인정하고 있습니다.

자기의 바람을 전체 에스페란티스토 집단에게 강요하고 싶은 사람들이 에스페란티스토들 대다수가 꼭 승인해야 할 좋은 생각을 갖고 있는 데, 그러나 어떤 우두머리가 그들의 말을 듣지 않고 그들에게 연구를 위하여 자신의 생각을 소개하는 것조차 불허한다고 보통 말합니다. 그것은 사실이 아닙니다. 우리의 언어 위원회는 공동의 투표로써 자신에게 수락한 새 질서에 따라, 모든 사람들은 위원회에게 자신의 제의를 소개할 권리를 가질 뿐만 아니라, 그러나 그 제의가 아주 사소하게 보이는 심각한 것이라도, 백 명의 언어 위원회 구성원들 중에 단지 5명의 승인만을 얻어도 그때는 언어 위원회가 그 제안을 검토할 것을 받아드려야 함이 충분하다는 것을 당신은 압니다. 따라서 당신은 사람들이 그의 말을 듣지 않는다는 것과, 또는 어떤 수장들도 그들이 바라는 것을 오직 투표에 부친다는 것을 아무도 불평하지 않는다는 것을 압니다.

만일 누가 당신에게 사람들이 모든 것을 거칠게 부셔야 한다는 것을 말한다면, 모든 힘으로써, 모든 가능한 수단으로써 당신을 불만족하게 하려고 노력한다면, 우리를 우리의 목적으로 안내하는 유일한 길에서, 엄격한 단결의 길에서, 사람들이 당신을 유혹한다면, 그때는 당신을 지키십시오 그때 그것이 수년간의 인내의 노력으로 위대한 전체 인류의 사상을 위하여 수많은 사람들이 달성한 모든 것을 무질서로 이끈다는 것을 아십시오

저는 끝내겠습니다. 제가 선택한 유쾌하지 못한 화제를 용서하시기 바랍니다. 그것은 우리 대회의 역사에 처음이자 바라건 데 마지막이 될 것입니다. 그리고 우리는 지금 모든 것을 잊읍시다. 우리는 커다란 축제를 시작합시다. 그 축제를 위하여 우리는 세계의 여러 나라에서 모였습니다. 우리는 깨끗한 인류의 축제인, 우리의 커다란, 매년 개최되는 일주일간을 기쁘게 보냅시다. 우리는 우리의 대회가 미래의 서로 형제된 인류의 역사를 위하여 교육하고 훈련하

는 서두라는 것을 기억합시다. 우리에게는 우리 언어의 어떤 하찮은 외부의 사소함이 아니라 그러나 그것의 본질, 그것의 사상, 그리고 목적이 중요합니다. 그래서 우리는 무엇보다도 그것의 중단 없는 생애와 그것의 끊임없는 성장에 대해서 걱정해야 됩니다. 어른과 어린이의 차이는 큽니다. 수백 년 후의 발전한 에스페란토와 지금의 에스페란토와의 차이는 클 수 있습니다. 그러나 우리의 부지런한 지킴의 덕분에 모든 음해에도 불구하고 우리의 언어는 강인하게 살 것 이고, 그의 정신은 강화될 것이며, 그의 목적은 도달될 것이며, 우리의 손자들이 우리의 인내를 축복할 것입니다.

Parolado antaŭ **la Kvina Kongreso** Esperantista en Barcelona en la 6a de septembro 1909

Karaj samideanoj kaj amikoj!
Ĉiufoje kiam komenciĝas nova interkongresa jaro, ĉiu esperantisto, kiu antaŭvidas por si iom da libera tempo kaj povas ŝpari iom da mono, komencas preparigadi al la estonta kongreso esperantista, al la plej proksima granda komuna festo de la popolo esperantista. Amikoj, kiujn ligas la sama ideo, la samaj aspiroj kaj esperoj, kortuŝite diris al si reciproke "ĝis la revido", kaj kun ĝojo ili atendas tiun revidon. Kiel reciproke sin amantaj gefratoj, kiuj nur de tempo al tempo povas kuniĝi en la domo de siaj gepatroj, tiel la esperantistoj sopire atendas tiun momenton, kiam ili povos renkontiĝi en la centro de Esperantujo, ame saluti sin reciproke, varme premi al si la manojn kaj diri al si: "ni vivas, ni honeste laboris en la daŭro de la jaro, ni gardis honeste la honoron de nia domo, ni povas kun pura konscienco partopreni en la komuna festo de nia familio."

Sed dum ĉiu el vi prepariĝas al nia komuna festo kun koro tute ĝoja, mi faras tion saman ĉiam kun koro iom peza, ĉar en niaj kongresoj la sorto donis al mi rolon kvankam tre flatan, tamen samtempe ankaŭ tre ŝarĝan: mi estas devigata akceptadi honorojn, kiuj apartenas ne al mi. Prave aŭ malprave la mondo vidas en mi ĉiam la naturan reprezentanton de la anaro esperantista, la simbolon de la esperantismo, de la esperantista lojaleco kaj unueco; kaj ĉar la homoj ne povas esprimi siajn sentojn al io abstrakta, tial ĉiuj esprimoj de simpatio kaj entuziasmo por la esperantismo direktiĝas sub mia adreso.

Ekzistas tamen personoj, kiuj tion ne komprenas aŭ ne volas kompreni; ili envias la flagon pro la honoroj, kiuj estas farataj al ĝi; ili vidas en mi personon, kiu kvazaŭ ludas la rolon de ia reĝo. Jen estas la kaŭzo, pro kiu mi ĉiam kun peza koro veturas al niaj kongresoj. Forte, tre forte mi dezirus forrifuzi mian por mi tro turmentan rolon, kaj stari ne antaŭ vi, sed inter vi; sed la afero ne dependas de mia volo, ĝi dependas de diversaj cirkonstancoj, antaŭ kiuj mi devas min klini, se mi ne volas malutili al nia movado. Tial ankaŭ hodiaŭ mi staras antaŭ vi kiel simbolo de via afero kaj de via unueco, kiel via konkreta reprezentanto; mi akceptas ĉion, kio estas destinata por vi, kaj mi ĉion fidele transdonas al vi, popolo esperantista.

En ĉi tiu mia rolo de via reprezentanto, mi antaŭ ĉio atentigas vin pri la granda honoro, kiun faris al ni Lia Reĝa Moŝto la Reĝo Alfonso XIIIa, afable akceptinte la honoran prezidantecon de nia kongreso. Mi esprimas en via nomo nian plej respektan dankon al Lia Reĝa Moŝto. La Reĝo Alfonso XIIIa longe vivu!

Mi atentigas vin pri la granda simpatio, kiun montris al nia afero la registoj de tiu lando, en kiu ni nun troviĝas; ne sole ĉiuj ministroj prenis sur sin la patronecon de nia kongreso, sed la registaro de la lando en sia propra nomo per siaj ambasadoroj oficiale invitis la registaroin de aliaj landoj, ke ili sendu delegitojn al nia kongreso. Por ĉi tiu granda kaj tre grava servo mi esprimas en via nomo plej varman dankon al la registaro de la hispana regno.

Vi scias, kiel energie kaj zorge la loka organiza

komitato laboris por belega kaj plej fruktoporta preparado de nia nuna kongreso. Vi scias, ke ili ne perdis la kuraĝon, eĉ malgraŭ la malfeliĉaj Barcelonaj okazintaĵoj, kiuj ĉiun el ni devigis pensi, ke la kongreso en Barcelono estas jam absolute nefarebla. Parton de tio, kion la komitato faris, vi jam vidis, la ceteran parton vi vidos dum la kongreso mem kaj en la postkongresaj tagoj. Al ĉi tiu multe laborinta komitato, kaj precipe al ĝia kara prezidanto, mi esprimas en la nomo de ni ĉiuj nian plej koran dankon.

Vi vidis, kian eksterordinare honoran kaj simpatiplenan akcepton preparis por ni la urbo Barcelono. Vi scias, ke nur apartaj, neantaŭviditaj cirkonstancoj malhelpis la urbon, montri kun plena entuziasmo kaj en sia plena amplekso sian grandan estimon, sian plej vivan simpation al vi, popolo esperantista, al via penado kaj laborado, al via celo kaj esperoj. En via nomo mi esprimas al la urbo nian plej profundan kaj sinceran dankon.

En la ĝisnunaj kongresoj mi havis ion por diri al vi, tial ĉe la malfermo de la kongreso mi parolis longe; hodiaŭ mi havas nenion gravan por diri, tial mi parolos mallonge. Vi scias, kia estas nia celo; vi scias, kia estas la sola vojo, per kiu ni povas atingi tiun celon; ni marŝu do antaŭen diligente kaj harmonie. Se ni demandos nin, kion ni faris en la ĵus finiĝinta interkongresa jaro, ni povos respondi: "Ni sane vivis, ni kreskis, ni fortiĝis en ĉiuj rilatoj". Kian grandan signifon tio havas, tion povas kompreni nur tiuj, kiuj komprenas la tutan gravecon kaj malfacilecon de nia afero, kaj kiuj mem laboris por ĝi. Kiel en la jaroj pasintaj, tiel ankaŭ en la jaro ĵus finiĝinta, multaj el vi laboris por nia komuna afero kun granda fervoro kaj sindoneco; al ili la esperantistaro esprimas sian koran dankon. Sed dum la Kongreso ni ne sole rakontos al ni reciproke pri la laboroj faritaj, ni devos plenumi ankaŭ kelkajn laborojn komunajn, kiuj postulas komunan interkonsiliĝon kaj interkonsenton.

Ni komencu en feliĉa horo niajn kongresajn laborojn kaj festojn, al la unuaj ni penu doni la plej bonan sukceson, el la duaj ni ĉerpu kuraĝon kaj forton por la laboroj de la jaro venonta.

5차 에스페란토 세계 대회

일시 : 1909.9.6
장소 : 바르셀로나(스페인)

친애하는 동지 친구 여러분!

매번 새로운 대회가 시작되는 해에 모든 에스페란티스토들은 자신을 위하여 자유로운 시간을 예견하고 돈을 저축할 수 있는 에스페란티스토들은, 다가오는 에스페란토 대회를, 에스페란티스토 국민들의 가장 친근한 커다란 공동의 축제를 준비하기 시작합니다. 같은 사상으로 같은 열망과 희망으로 연결된 친구들이 감동적으로 서로에게 말합니다. "안녕히 가십시오." 그리고 커다란 기쁨으로 그들은 재회를 기다립니다. 자신의 부모님 집에 때때로 모이는 서로 사랑하는 형제들처럼, 그렇게 에스페란티스토들은 에스페란토 세계의 중심에서 그들이 만나고, 서로 사랑으로 인사하고, 뜨겁게 그렇게 악수할 때를 애타게 기다립니다. 그리고 자신에게 말합니다. "우리는 살아 있습니다. 정직하게 일 년 동안 일 했습니다. 우리는 우리 집의 명예를 정직하게 지켰습니다. 우리는 우리 가족의 공동의 축제에 깨끗한 양심을 갖고 참여할 수 있습니다."

그러나 당신 모두가 아주 기쁜 마음으로 우리의 공동의 축제에 참여할 준비를 하는 동안, 저는 조금 무거운 마음으로 항상 그러한 같은 것을 합니다. 왜냐하면 우리 대회에서 운명이 저 에게 매우 우쭐하지만, 그러나 동시에 또한 매우 무거운 역할이 주어졌습니다. 저는 저에게도 속하지도 않은 명예를 받아들일 것을 강요받고 있습니다. 옳건 그르건 세상은 항상 저를 자연스런 에스페란토 구성원의 대표자, 에스페란토 주의의, 그리고 에스페란티스토의 충성심과 단결의 상징으로 보고 있습니다. 그리고 사람들은 자기의 느낌을 추상적으로 표현할 수 없기 때문에, 그래서 에스페란토 주의를 위한 열광과 연민의 표현이 전부 저에게 집중되는 것입니다.

그러나 그걸 이해하지 못하거나 이해하기를 원치 않는 사람들이 있습니다. 그들은 그것으로 만들어지는 명예 때문에 깃발을 부러워합니다. 그들은 마치 저를 어떤 왕의 역할을 하는 사람으로 봅니다. 제가 항상 무거운 마음으로 대회에 참석하는 것이 여기에 원인이 있습니다. 강하게, 매우 강하게 저는 저의, 저에게 그 괴로운 역할이 벗어나고, 그리고 당신들 앞에서가 아니라 당신들 사이에 서 있고 싶습니다. 그러나 일은 내 뜻에 달려있는 것은 아니고 그것은 제가 우리 운동에 무익한 존재가 아니라면 제가 굽혀야 할 여러 가지 상황에 달려있는 것입니다. 그래서 오늘도 역시 당신들의 일의, 당신들의 단결의 상징으로써, 당신들의 구체적인 대표자로써 당신들 앞에 서 있는 것입니다. 저는 당신들을 위해서 운명 지워진 모든 것을 수락하고, 그리고 저는 모든 것을 충실하게 당신들 에스페란토 국민들에게 넘깁니다.

당신들의 대표자로써 저의 역할에서, 무엇보다도 저는 알폰소 13세 왕 폐하가 우리 대회의 명예 회장직을 친절하게 수락하신 후 우리에게 선사하신 커다란 명예에 대하여 당신에게 주목 시키고자 합니다. 저는 당신들의 이름으로 폐하께 우리의 가장 존경스런 감사를 표합니다. 알폰소 13세 왕 폐하 만수무강하소서.

저는 우리가 지금 있는 나라의 정부 요인들이 우리의 일에 보여준 커다란 연민에 대하여 당신들을 주목시키고자 합니다. 모든 장관들께서 우리 대회의 후원자로써 자처한 것뿐만 아니라, 그러나 그 나라의 정부에서도 자신의 이름으로 자기의 대사들로 하여금, 그들이 우리 대회에 대표자들을 파견하도록 다른 나라들의 정부들을 공식적으로 초청했습니다. 이 위대하고 중요한 임무에 대하여 저는 당신들 이름으로 스페인 국가의 정부에게 뜨거운 감사를 표하는 바입니다.

당신은 오늘 우리 대회의 멋진 그리고 결실 있는 준비를 위해서 지역 조직 위원회가 얼마나 열심히 관심을 가지고 일했는지를 압니다. 당신은 심지어 우리 모두가 바르셀로나 대회가 절대적으로 치러질 수 없다고 생각한 불행한 바르셀로나 사건이 있음에도 불구하고 그들이 용기를 잃지 않은 것을 압니다. 위원회가 한 일을 일부분 당신은 이미 보았고 나머지 부분을 대회 동안이나 대회 후에도 당신이 볼 것입니다. 이 많은 일을 한 위원회에게 그리고 특히 그의 친애하는 회장에게 저는 모든 우리의 매우 가장 감사한 마음을 우리의 이름으로 표하고자 합니다.

당신은 우리를 위해서 바르셀로나 도시가 어떤 연민이 담긴 그리고 특이한 명예를 갖고 영접을 준비했는지를 알았습니다. 당신들 에스페란토 국민들에게, 당신의 노력과 수고에, 당신의 목적과 희망을 위해 자신의 가장 활력 있는 연민을, 커다란 존경을 완전한 크기로, 완전한 열광을 가지고 도시가 보여 주는 것에 대해, 오직 따로 예견치 못한 상황이 방해한 것을 알았습니다. 당신의 이름으로 저는 그 도시에게 가장 깊은 그리고 성실한 감사를 표합니다.

지금까지의 대회에서 당신들에게 말할 것이 있었습니다. 그래서 대회의 개최에 즈음해서 길게 말한 것입니다. 오늘 말할 중요한 것은 없습니다. 그래서 짧게 말하겠습니다. 당신은 우리의 목적이 어떠한 것인지를 압니다. 당신은 우리의 목적을 달성하고자 하는 유일한 길이 어떠한 가를 압니다. 우리는 부지런히 조화롭게 앞으로 행진합시다. 우리가 우리에게 방금 끝난 1년 동안 무엇을 했는가를 묻는다면, 우리는 대답할 수 있을 것 입니다. "우리는 같이 살았고, 우리는 성장했고, 우리는 모든 면에서 강해졌습니다." 우리의 일의 어려움과 아주 중요함을 이해하는 사람들이, 그것을 위하여 일한 사람들이, 오직 그것을 이해할 수 있는 것이 어떤 커다란 의미를 갖는 것입니까? 지난해처럼 방금 끝난 또한 올해에도 당신들 많은 사람이 열심히 그리고 헌신적으로 우리의 공동의 일을 위하여 일했습니다. 그들에게 에스페란티스토 집단은 자신의 마음으로부터의 고마움을 표합니다. 그러나 대회 동안에 우리는 단지 우리가 행한 일에 대해서 서로 우리에게 얘기할 뿐만 아니라, 우리는 공동의 타협과 서로의 동의를 요구하는 몇 가지 또한 공동의 일을 수행해야 할 것입니다.

우리는 행복한 시간에 우리대회의 일과, 축제를 시작합시다. 첫 번째 것에게는 우리는 가장 훌륭하고 성공적이 되도록 노력해야 하고, 두 번째 것에서는, 우리는 다음 다가오는 대회를 위하여 용기와 힘을 얻어야 하겠습니다.

Parolado antaŭ **la Sesa Kongreso** Esperantista en Washington en la 15a de aŭgusto 1910

Lando de libereco, lando de estonteco, mi vin salutas! Lando, pri kiu revis kaj nun ankoraŭ revas multaj suferantoj kaj senkulpaj persekutatoj, mi vin salutas! Regno de homoj, kiu apartenas ne al tiu aŭ alia gento aŭ eklezio, sed al ĉiuj siaj honestaj filoj, mi klinas min antaŭ vi, kaj mi estas feliĉa, ke la sorto permesis al mi vin vidi kaj spiri almenaŭ dum kelka tempo vian liberan, de neniu monopoligitan aeron.

Saluton al vi, Usono, plej potenca reprezentanto de la nova mondo. Ni, filoj de la malnova kaj maljuna kontinento, venis al vi kiel gastoj; sed ne vidama turismo enŝipigis nin, ne la espero de ia komerca akiro pelis nin al via bordo; ni venis al vi, por alporti al vi novan senton kaj novan ideon, ni venis, por alporti novan kuraĝon al tiuj niaj samideanoj kaj samidealanoj, kiuj ĝis nun laboris inter vi kaj kies vortoj pri ia nova popolo eble ŝajnis al vi tro fabelaj. Peco de tiu miksdevena kaj tamen lingve kaj kore unuigita popolo nun staras antaŭ vi reale kaj vivante. Rigardu nin, aŭskultu nin, kaj konvinkiĝu, ke ni ne estas fabelo. Ni estas diversgentanoj, kaj tamen ni sentas nin kiel samgentanoj, ĉar ni komprenas nin kiel samgentanoj, havante nenian bezonon humiligi aŭ fremdlingve balbutigi unu la alian. Ni esperas, ke dank' al nia laborado pli aŭ malpli frue la tuta mondo similiĝos al ni kaj fariĝos unu granda homa gento, konsistanta el diversaj familioj, interne apartlingvaj kaj apartmoraj, sed ekstere samlingvaj kaj sammoraj. Al tiu nia laborado, kiu celas krei iom post iom unuigitan, sekve fortigitan kaj spirite altigitan homaron, ni nun invitas vin, filoj de Usono. Kaj ni esperas, ke nia voko ne restos vana, sed ĝi baldaŭ eĥe resonos en ĉiuj anguloj de via lando kaj tra tuta via kontinento.

Nur tre malmultaj el ni povis veni en vian landon, ĉar ni, esperantistoj, ne estas homoj riĉaj; de nia nuna kongreso ni sekve ne povas atendi gravajn decidojn, kiuj havus signifon por la tuta esperantistaro. Ni venis al vi, Usonanoj, precipe por pasigi en via mezo kaj antaŭ viaj okuloj unu semajnon de nia esperantista vivo, por montri al vi almenaŭ malgrandan pecon de tiu vivo, por alporti al vi semon; kaj ni esperas, ke post nia foriro tiu semo potence ĝermos kaj kreskos, kaj en via lando nia afero baldaŭ havos siajn plej fervorajn kaj plej gravajn apostolojn.

En via lando, Usonaj samideanoj, nia afero estas ankoraŭ tro juna, kaj multaj el vi ne ellaboris al si ankoraŭ tute klaran juĝon pri ĝi; tial permesu, ke mi almenaŭ iom esploru antaŭ vi la vojon, kiun ni iras.

Kion celas la esperantista movado? Ĝi celas atingi reciprokan komprenadon inter ĉiuj homoj kaj popoloj. Por kio ni bezonas tian reciprokan komprenadon? Kiaj estas la sekvoj, kiujn ni atendas de ĝi? Kial ni deziras, ke ĝi estu nepre sur fundamento neŭtrala? Kial ni tiel persiste laboras por ĝi? Kia estas la spirito, kiu nin ĉiujn ligas inter ni? Pri ĉio ĉi tio mi jam multe parolis, kaj mi ne volas nun ripeti miajn vortojn, des pli, ke ĉiu el vi post kelka meditado facile mem trovos la respondojn.

Antaŭ vi, praktikaj amerikanoj, mi volas analizi alian demandon, nome: ĉu ni kun nia laborado staras sur vojo tute certa, aŭ ĉu ni povas timi, ke iam nia tuta laborado montriĝos vana? Nur plena konscio pri la irota vojo donas al la marŝantoj sufiĉe da energio, por kontraŭbatali ĉiujn malfacilaĵojn, kiuj troviĝas sur la vojo.

La celo, por kiu ni laboras, povas esti atingita per du vojoj: aŭ per laborado de homoj privataj, t.e. de la popolaj amasoj, aŭ per dekreto de la registaroj. Plej kredeble nia afero estos atingita per la vojo unua, ĉar al tia afero, kiel nia, la registaroj venas kun sia sankcio kaj helpo ordinare nur tiam, kiam ĉio estas jam tute preta. Kia devas esti la karaktero de la unua vojo, pri tio neniu povas dubi; pri afero, kies tuta esenco kaj vivo estas bazita sur interkonsento, ĉiu komprenas tre bone, ke laborado de amasoj povas ĝin konduki al celo nur tiam, se ĉiuj laboras unuanime. En tia afero, se ĝi per si mem montriĝis vivipova, konkordo estas la plej certa garantio de senduba sukceso, malkonkordo signifas la morton. Tion komprenas tre bone niaj samideanoj, kaj tial ili kun indigno forpuŝas ĉiun, kiu volas delogi ilin de la komuna vojo. Sed iufoje en la kapo de tiu aŭ alia samideano aperas la sekvanta demando: kio estos la sekvo, se la solvon de la internacilingva problemo volos iam preni sur sin ia granda forto, kontraŭ kiu ni ĉiuj estas tro senfortaj, ekzemple la registaroj de la mondo? Ĉu ni devas timi, ke ili eble elektos alian solvon, ol ni elektis, kaj tiamaniere nia tuta laborado fariĝos vana?

Por trovi klaran respondon al tiu demando, ni prezentu al ni, ke la registaroj de la mondo aŭ iaj aliaj grandaj kaj influaj potencoj starigis aŭtoritatan komitaton, kiu devas decidi, kia lingvo devas fariĝi internacia. En la artikolo "Esenco kaj Estonteco", kiun multaj el vi legis en la "Fundamenta Krestomatio" mi analizis tiun demandon detale, kaj mi montris tute klare tion, pri kio en la nuna tempo jam neniu esploranto dubas, nome, ke tia komitato, pri kio mi parolis, neniel povus elekti ian lingvon nacian, nek ian lingvon mortintan, nek ian lingvon kun plene elpensita vortaro, sed ĝi devus nepre elekti nur aŭ Esperanton en ĝia nuna formo, aŭ Esperanton iom ŝanĝitan. Se la komitato kontraŭ ĉiuj postuloj de la prudento volus fari ian alian decidon, ĝia decido restus nur decido papera kaj praktike absolute senvalora. Nun ni rigardu, kia estas la sola maniero, en kiu la komitato povus solvi la lastan alternativon.

Plej nature kaj plej kredeble estas, ke la komitatanoj rezonados simple en la sekvanta maniero: Ekzistas lingvo artefarita, kiu montriĝis tute vivipova, bonege funkcias, bonege sin tenas jam multe da jaroj, kreis grandan literaturon, ellaboris sian spiriton kaj vivon k.t.p.; sekve, anstataŭ fari tute senbezone kaj sencele riskajn novajn eksperimentojn, ni simple akceptu tion, kio jam ekzistas; ni donu al ĝi la aŭtoritatan apogon de la registaroj, kiujn ni reprezentas, kaj tiam la tuta eterna problemo estos tuj plene solvita, kaj de morgaŭ la tuta civilizita homaro reciproke sin komprenos.

Tia, mi ripetas, estas la plej natura decido, kiun ni povas atendi de la registare elektota komitato. Sed ni supozu, ke la komitato trovos, ke diversaj ŝanĝoj en Esperanto estas efektive tre necesaj. Kiel do ĝi agos?

Antaŭ ĉio ĝi sin demandos, ĉu ĝi estas sufiĉe forta, por altrudi sian teorian volon al tiuj multaj miloj da homoj, kiuj ĝis nun estis la solaj laborantoj en la afero. La esperantistoj laboris dum longa vico da jaroj, multe laboris, multe oferis kaj kun tre granda malfacileco fine akiris tion, kio dum multaj miliaroj ŝajnis neakirebla kaj kio, unu fojon perdita, neniam plu reakiriĝus, ĉar la mondo perdus la tutan konfidon al la internacilingva ideo. Sekve ĉiu prudenta komitato dirus al si: "Ni devas esti tre singardaj, por ke, anstataŭ akceli la aferon, ni ĝin ne pereigu por ĉiam." Se la komitato scius, ke ĝin elektis ekzemple nur ia unu tre malgranda kaj malgrava landeto, ke la elekto estis nur tute senvalora formalaĵo, ke la elektintoj tute sin ne interesas pri la afero kaj ne havas eĉ la plej malgrandan intencon ĝin subteni, nek la forton por tio, tiam prudentaj komitatanoj nur simple esprimus sian opinion kaj dezirojn pri diversaj farindaj ŝanĝoj en Esperanto kaj lasus la akceptadon aŭ neakceptadon al la decido de la esperantistoj mem, sed neniam komencus konkuradon kontraŭ la esperantistaro; ĉar ili komprenus, ke morale tio estus nur peko kontraŭ la internacilingva ideo kaj praktike ĝi pli aŭ malpli frue kondukus nur al fiasko.

Nun ni supozu, ke por la decido de la demando pri lingvo internacia estas kreita komitato, kiu havas forton ne fikcian sed efektivan kaj grandan. Antaŭe mi jam montris, ke se tia komitato ne volos, ke ĝia decido restu praktike absolute senvalora, ĝi povos preni nur aŭ Esperanton, aŭ ion tre similan al Esperanto. Mi diris jam, ke plej kredeble ĝi akceptos simple Esperanton en ĝia nuna formo. Sed ni supozu, ke ĝi tion ne volos fari; kiel do ĝi agos: Ĉar ĝi komprenos tre bone, ke, por krei vivipovan lingvon, tute ne sufiĉas esti instruita homo kaj diri al si "mi kreos"; ke oni ne povas tion fari laŭ mendo en la daŭro de kelke da semajnoj; ke tio postulas tre longan, fervoran, sindoneman, amoplenan laboradon, elprovadon, trasentadon k.t.p.; kaj ĉar ĝi scios, ke ekzistas jam lingvo, super kiu multe da homoj tre longe laboris, kiu havas multejaran historion kaj tutan vivon, ke tiu lingvo bonege funkcias, kaj nur malmultaj punktoj povas en ĝi esti disputeblaj: tial estas tute kompreneble, ke, se la komitato traktos sian taskon serioze, ĝi ne riskos preni sur sin mem la kreadon de tute nova lingvo, nek prenos alian lingvan projekton, kiun la vivo ankoraŭ ne sufiĉe elprovis, nek komencos tute senbezone, sekve neprudente bataladon kontraŭ tiuj, kiuj ĝis nun laboris en la afero, sed ĝi prenos Esperanton kaj faros en ĝi tiujn ŝanĝojn, kiujn ĝi trovos necesaj.

Al kiu la komitato komisius la faradon de la ŝanĝoj? En la tempo prepara, kiam estus necese esplori principe la demandon, kian lingvon oni devas elekti, la komitato povus komisii la laboron al kiu ajn, zorgante nur, ke la elektitoj estu homoj prudentaj kaj senpartiaj kaj komprenu la tutan respondecon, kiun ili prenas sur sin. Sed kiam la lingvo estus jam elektita kaj oni decidus fari en ĝi ŝanĝojn, kun kiu oni konsiliĝus pri tiu laboro? La plej simpla prudento kaj la plej simpla komprenado de sciencaj metodoj diras, ke pri tia laboro oni devus konsiliĝi ne kun personoj, kiuj konas la lingvon de ekstere, sed antaŭ ĉio kun personoj, kiuj plej bone konas la lingvon interne, kiuj plej multe laboris por ĝi, plej multe praktike ĝin uzis kaj sekve havas en ĝi plej grandan sperton kaj plej bone konas ĝiajn mankojn efektivajn.

Ĉiu komprenas tre bone, ke fari ŝanĝojn en iu lingvo, gvidante sin nur per ekstera ŝajno kaj ne konsiliĝinte kun personoj, kiuj plej bone konas tiun lingvon, estus tia infanaĵo, kiun certe nenia komitato povus fari, se ĝi traktus sian taskon serioze kaj ne estus sugestiata de personoj, kiuj havas ian kaŝitan celon.

Kaj se la komitatanoj decidos fari ŝanĝojn en Esperanto, kion ili povos ŝanĝi? Se ili ekzemple volos diri: "tiu vorto estas prenita el lingvo, kiun parolas cent milionoj, tial ni elĵetu ĝin kaj prenu vorton el lingvo, kiun parolas cent dudek milionoj", aŭ se ili dirus: "al ni ne plaĉas la praktike tute bona vorto "estas", ni preferas "esas" ...", k.t.p., tio estus ja simpla infanaĵo, kiun seriozaj homoj certe ne permesus al si, ĉar ili komprenus, ke en lingvo, kiu havas jam multejaran vivon, ŝanĝi grandan amason da vortoj, pro simpla kaprico, pro ia pure teoria kaj praktike absolute senvalora motivo, estus sensencaĵo. Memorante, ke oni atendas de ili ne ian teorian filologian amuziĝon, sed laboron praktikan, ili kompreneble ŝanĝus nur tiajn vortojn aŭ formojn, kiuj montriĝis kiel malbonaj per si mem, malbonaj absolute, grave maloportunaj por la uzantoj de la lingvo. Sed se vi trarigardos ĉiujn kritikojn, kiuj estis faritaj kontraŭ Esperanto en la daŭro de dudek tri jaroj - kaj Esperanton ja kritikis jam multaj miloj da homoj, kaj certe neniu eĉ plej malgranda el ĝiaj mankoj restis kaŝita - vi trovos, ke la grandega plimulto el tiuj kritikoj estas simple personaj kapricoj. La nombro de tiuj ŝanĝaj proponoj, kiuj efektive povus havi ian praktikan valoron, estas tiel malgranda, ke ili ĉiuj kune okupus ne pli ol unu malgrandan folieton, kiun ĉiu povus ellerni en duonhoro; sed eĉ inter tiuj tre malmultaj supozeblaj ŝanĝoj la plej gravaj estas nur plibonigo ŝajna, sed en efektiveco ili post pli matura pripenso montriĝus eble nur kiel malplibonigo. Tiel ekzemple la forigo de la supersignoj kaj de la akuzativo, kion mi antaŭ dekses jaroj proponis, por liberigi de la turmentantoj kaj faciligi la propagandon, kaj kion postulas la plimulto de la reformistoj, tiu ŝanĝo en la nuna tempo, kaj tiom pli antaŭ la okuloj de registare starigota kaj sekve forton havanta komitato, devas aperi kiel tute ne akceptebla, car ĝi prezentus kripligon de la interna valoro de la lingvo, por plaĉi al ĝiaj eksteraj rigardantoj, forigon de necesaj gravai sonoj el la lingvo kaj de libera vortordo kaj klareco por ... ke la presistoj ne bezonu elspezi kelke da spesmiloj kaj la komencantoj ne havu kelkan malfacilaĵon.

Se vi prenos ian artikolon esperantan, prezentitan de niaj kontraŭuloj por senkreditigi Esperanton, vi preskaŭ ĉiam trovos nur unu aferon: grandan amasigon de la plurala finiĝo "j"; tiu malfeliĉa "j", kiun neniu tamen kuraĝas kritiki en la bela greka lingvo, estas la kvintesenco de ĉiuj terurajoj, kiujn niaj kontraŭuloj montras en Esperanto!

Unuvorte, ĉiu el vi povas facile konvinkiĝi, ke se iam registare starigota komitato decidos fari ŝanĝojn en Esperanto kaj se tiu komitato traktos sian taskon serioze, ĝi povos ŝanĝi en Esperanto nur tre, tre malmulte; la postkomitata Esperanto restos tute la sama lingvo, kiel la Esperanto antaŭkomitata, nur eble kelkaj nunaj formoj fariĝos arĥaismoj kaj cedos sian lokon al pli oportunaj formoj, neniel rompante la kontinuecon de la lingvo kaj neniel ruinigante la valoron de tio, kion ni ĝis nun akiris. Tio estas ne nia pia deziro, sed tion plene certigas al ni simpla logiko kaj prudento, kontraŭ kiu certe nenia serioza komitato volos peki, se ĝi ne volos, ke ĝiaj laboroj restu absolute sen ia praktika rezultato.

Nun mi resumos ĉion, kion mi diris. Logika esploro de la afero montras al ni, ke:

1. Lingvo internacia ne povas esti alia ol Esperanto.

2. La evoluado de la lingvo fariĝos plej kredeble nur per tiu sama natura vojo, per kiu ĝi fariĝis en ĉiu alia lingvo, t.e. per la senrompa vojo de neologismoj kaj arĥaismoj.

3. Se iam aperos la neceso fari en Esperanto ian ŝanĝon, tion povas fari nur aŭ la esperantistoj mem, per komuna interkonsento, aŭ ia grandega forto, sed nepre en plena interkonsento kun la tuta esperantistaro.

4. Se iam la esperantistoj mem aŭ ia granda ekstera forto decidos fari en Esperanto iajn ŝanĝojn, tiuj ŝanĝoj povos esti nur ekstreme malgrandaj, neniam rompos la kontinuecon kun tio, kion ni ĝis nun havis, kaj neniam senvalorigos tion, kion ni ĝis nun faris, faras, aŭ poste faros.

Tio estas la sole ebla natura irado de la aferoj. Ĉiu, kiu volos kontraŭbatali tiun naturan iradon, nur perdos senbezone siajn fortojn. La esperantaj radikoj de la arbo internacilingva jam tiel profunde penetris en la teron de la vivo, ke ne povas jam ĉiu deziranto ŝanĝi la radikojn aŭ ŝovi la arbon laŭ sia bontrovo.

Karaj kongresanoj! Ĉio, kion mi diris, ne estas ia aŭtora memfido, ĉar mi plene konsentas kaj konfesas malkaŝe, ke, por ŝanĝi ion en la natura irado de la internacilingva afero, mi estas tiel same senpova, kiel ĉiu alia persono. Mi defendas fervore nian nunan vojon nur tial, ke la nerefuteblaj leĝoj de la logiko diras al mi, ke tio estas la sola vojo, kiu kun plena certeco alkondukos nin al nia celo. Kiu ajn volus ŝanĝi la naturan iradon de la internacilingva afero - tute egale, ĉu li estas malamiko de Esperanto aŭ ĝia plej flama amiko, ĉu li estas senfamulo aŭ eminentulo, ĉu li agas per vortoj aŭ per mono kaj ruzaĵoj, ĉu li estas plej fanatika konservemulo aŭ plej facilanima eksperimentisto de novaĵoj, ĉu li estas plej pura idealisto aŭ plej profitama egoisto, ĉu li bruas kaj malbenas aŭ kaŝite laboras sub la tero - li neniam sukcesos; li povos nur krei kelktempan skismon kaj akiri la malĝojan gloron de malhelpanto kaj subfosanto, sed neniam li povos devigi ĉiujn amikojn de la internacilingva ideo pro iaj sensignifaj bagateloj forĵeti tion, kion ili posedas, kio montriĝis plene vivipova, en kion estas jam enmetita tia multego da laboroj kaj da vivo kaj kio per natura vojo devas iom post iom konstante ensorbi novajn sukojn. Tion devas bone memori ĉiuj, kiuj laboras sur la kampo de lingvo internacia, kaj se ili tion ne memoros, la vivo mem donos al ili la necesan instruon.

Ni povas sekve labori trankvile; ni ne devas malĝoji, se nia laborado estas iafoje tre malfacila kaj sendanka; sur nia flanko estas ne sole la fajro de niaj sentoj, sur nia flanko estas ankaŭ la nerefuteblaj leĝoj de la logiko kaj prudento. Pacience ni semu kaj semu, por ke niaj nepoj iam havu benitan rikolton.
Al la Sesa Esperantista Kongreso, kiu sendube enĵetos multe da semoj en la teron amerikan, mi eldiras mian koran saluton

6차 에스페란토 세계 대회

일시 : 1910.8.15
장소 : 워싱턴(미국)

자유의 나라, 미래의 나라, 저는 당신에게 인사드립니다. 많은 고통 받은 사람들과 죄 없이 박해 받은 사람들이 지금 아직도 공상하고 공상했던 나라, 저는 당신에게 인사합니다. 다른 종족이나 교회가 아니고, 그러나 모든 자신의 정직한 아들들에게 속한 사람들의 국가, 저는 당신 앞에 머리를 숙입니다. 그리고 운명이 저에게 당신을 만나 보도록 했고, 그리고 적어도 며칠을 당신의 자유의 아무도 독점하지 않은 공기를 숨 쉬도록 허락한 것에 대하여 저는 행복합니다.

당신에게 인사합니다. 미국, 새로운 세계의 가장 강력한 대표자. 우리들 구시대의 늙은 대륙의 아들들이 당신에게 손님으로 왔습니다. 그러나 구경을 좋아하는 관광으로 우리가 배를 타고 온 것이 아니고, 상업적인 이득의 희망이 우리를 당신의 해안으로 쫓지는 않았습니다. 우리는 새로운 느낌과 새로운 사상을 당신에게 갖고 왔습니다. 우리는 지금까지 당신들 사이에서 일한, 그리고 어떤 새로운 국민들에 대한 그들의 말이 어쩌면 당신에게 너무 꾸며낸 얘기처럼 보인 그들 동지들, 같은 이상주의자들에게 새로운 용기를 주려고 왔습니다. 여러 종족 출신의 일부, 그러나 언어나 마음으로 단합된 국민이 지금 당신 앞에 현실적으로 살아서 서 있습니다. 보십시오, 들으십시오, 우리가 꾸며낸 이야기가 아니라는 것을 확신하십시오. 우리는 다른 종족의 사람들입니다. 그러나 같은 종족처럼 느낍니다. 왜냐하면 우리는 서로에게 낯선 언어로 더듬거리거나 굴욕감을 느낄 필요가 없는 같은 종족의 구성원처럼 이해하기 때문입니다. 우리는 조만간 우리의 노력 덕분에 전 세계가 우리와 비슷해지고, 그리고 내적으로는 다른 언어와 다른 풍습을 가진, 외적으로는 같은 언어와 같은 풍습을 가진, 여러 가족들로 구성된 하나의 커다란 인간 종족이 될 것을 희망합니다. 조금씩 조금씩 하나가 되고, 따라서 강하게 된, 정신적으로 성숙한 인류를 창조하는 것을 목적으로 하는 우리의 일에, 우리는 지금 미국 의 아들이신 당신들을 초대합니다. 그리고 우리는 우리의 부름이 헛되지 않고, 그러나 그것이 곧 산울림이 되어 당신나라의 모든 구석까지, 그리고 당신의 대륙을 통틀어 울려 퍼질 것을 희망합니다.

우리들 중 아주 적은 숫자만이 당신나라에 올 수 있었습니다. 왜냐하면 우리 에스페란티스토들은 부자들이 아닙니다. 우리의 지금의 대회에서 우리는 전체 에스페란티스토들을 위한 의미를 갖고 있는 중대한 결정을, 따라서 우리는 기대할 수 없습니다. 우리는 당신들 눈앞에서 그리고 당신들 가운데서 특히 우리 에스페란토 인생의 일주일을 보내기 위해, 당신에게 적어도 그 삶의 커다란 부분을 보이기 위해, 당신에게 씨를 갖다 주기 위해 왔습니다. 그리고 우리는 우리가 떠난 후에 그 씨가 싹터서 성장하고 그리고 당신들 나라에서 우리의 일이 머지않아 가장 열심인, 가장 중요한 사도들을 갖게 되기를 우리는 희망합니다.

당신나라에서 미국의 동지들, 우리의 일이 아직도 너무 어렵습니다. 그리고 당신들 대다수가 그것에 대해서 아주 확실한 판단을 아직 내리지 않았습니다. 그래서 제가 우리가 가야할 길을 당신들 앞에서 적어도 조금 탐구하는 것을 허락해 주십시오

에스페란토 운동은 무엇을 목적으로 합니까? 그것은 모든 사람들과 국민들 사이에 서로의 이해에 도달하려는 목표를 갖고 있습니다. 무엇을 위해서 우리는 그런 서로의 이해를 필요로 합니까? 그것으로 우리가 기다리는 결과는 어떠합니까? 왜, 우리는 그것이 꼭 중립적인 기반위에 있기를 바랍니까? 왜, 우리는 그것을 위해서 그렇게 고집스럽게 노력합니까? 우리들 사이에 서로 연결되는 정신은 어떠합니까? 이 모든 것에 대하여 저는 이미 수없이 이야기했습니다. 그리고 제 말을 지금 반복하고 싶지 않습니다. 더욱이 당신 모두가 조금만 깊이 생각하면 쉽게 답을 찾을 것입니다. 당신들, 실용적인 미국인들 앞에서 다른 질문을 분석해 보고 싶습니다. 즉 우리는 우리일과 함께 아주 확실한 길 위에 서있습니까, 아니면 우리가 우리의 일이 헛된 것이라고 판명날 것을 두려워하고 있습니까? 오직 가야할 길에 대해서 완전한 양심이, 길에서 발견되는 모든 어려움에 대항하

여 싸우기 위해 행진하는 사람들에게 충분한 힘을 줍니다.

우리가 노력하는 목적은 두 가지의 길로 달성될 수 있습니다. 개인적으로 노력함으로써, 즉 대다수의 군중들에 의거, 또는 정부의 법령으로써, 가장 믿을 만한 방법은 첫 번째 길로써 도달될 것입니다. 왜냐하면 우리 것처럼 그러한 일은 정부는 모든 것이 준비되었을 때 그때 통상 도움과 승인이 뒤따릅니다. 아무도 의심할 바 없는 첫 번째 길의 성격은 어떠해야 합니까? 본질과 생명력에 대한 일에 대해서 서로 동의에 대해서 기초가 되어야 합니다. 모두가 군중의 일이, 모두가 단합한다면 그때 우리의 목적으로 그것을 이끈다는 것을 매우 잘 이해합니다. 그러한 일에 있어서 만일 그것이 자신으로써 생명력을 보여 줬다면 조화로움이 의심할 바 없는 가장 확실한 보증입니다. 불협화음이 죽음을 뜻합니다. 우리 동지들은 그것을 잘 이해해야 합니다. 그래서 그들은 분개하여 공동의 길에서 그들을 유혹하는 모든 것을 밀어 떨쳐내야 합니다. 그러나 언젠가는 그 사람 또는 다른 사람의 머리에 다음과 같은 질문이 생길 수 있습니다. 우리의 힘이 너무 없는 것에 대항해 어떤 커다란 힘이 국제어 문제의 해결을 짊어지고 싶어 한다면,예를 들어 세계정부, 결과는 어떠할 것일까요? 우리 모두는 그들이 우리가 선택한 것 보다 다른 해결을 어쩌면 선택할 것을 두려워해야만 하고 그리고 그렇게 우리의 전체의 목적은 헛것이 되지 않을까요?

이 질문에 확실한 대답을 찾기 위하여, 우리는 우리에게 세계정부 또는 어떤 다른 커다란 영향력 있는 권력이 어떤 언어를 국제어로 해야 할 것을 결정해야 하는 권위 있는 위원회를 세웠다는 것을 소개합니다. 당신들 대다수가 "기본 문선(fundamenta Krestomatio)" 에 있는 "미래와 본질" 이라는 기사에서 저는 이 문제를 자세히 분석했고 그리고 현재 어느 학자도 의심할 바 없는 것에 대하여 보다 확실히 그것을 보여 주었습니다. 즉, 제가 말한 위원회는, 어떤 민족어를 절대 선택할 것이 아니고, 어떤 죽은 언어도 아니고, 어떤 완전히 생각해낸 사전을 가진 어떤 언어도 아니고, 그러나 그것은 지금 형태의 에스페란토나 조금 변경된 에스페란토를 반드시 선택해야만 할 것입니다. 만일 위원회가 지각 있는 모든 요구에 반하여 다른 결정을 한다면 그의 결정은 종이 위에서 그리고 실제로 전혀 값어치 없는 결정으로 남게 될 것입니다. 지금 그 위원회가 마지막 대안으로 해결할 유일한 방법이 어떠한가를 지켜봅시다.

가장 자연스럽고 그리고 믿을 만한 것은 위원회가 다음과 같은 방법으로 단순히 추론할 것이라는 사실입니다. "아주 활력 있어 보이고, 잘 기능을 발휘하는, 수년 간을 잘 유지하고, 커다란 문학을 창조했고, 자신의 정신과 생명을 일궈 낸 인공어가 있다, 등등. 따라서 위험스런 새로운 실험을 근거 없이, 목적 없이 행하는 대신에, 우리는 이미 존재하는 것을 간단히 받아 드리자. 우리는 그것에게 우리가 대표하는 정부들의 권위적인 지지를 하자. 그리고 그때 모든 영원한 문제가 완전히 해결될 것이다. 그리고 내일부터 전 문명된 인류가 서로를 이해할 것이다."

그래서 저는 반복합니다. 우리가 기대하는 것은 정부로부터 선택될 위원회의 가장 자연스런 결정입니다. 그러나 우리는 위원회가 에스페란토에 있어서 여러 가지 변화가 실제로 꼭 필요한 것을 발견한다고 추측해 봅시다. 그것이 어떻게 될까요?

무엇보다도 그것은 지금까지 우리의 일에 있어서 혼자 노력하는 수많은 사람들에게 그러한 이론적인 뜻을 강요하기 위하여 그것이 충분히 강한가를 그것 자신에게 물어볼 것입니다. 에스페란티스토들은 오랜 기간 동안 열심히 노력했고, 많이 일했고, 큰 어려움 속에 마침내 수천 년 동안에 얻을 수 없었던, 세상이 국제어 사상에 대하여 믿음을 상실했기 때문에 다시는 얻을 수 없었던, 한번은 잃어버린 것을 마침내 얻었습니다. 따라서 모든 지각 있는 위원회가 자신에게 말할 것입니다. "우리는 일을 촉진하는 대신 우리는 그것을 영원히 죽이지 않기 위하여 우리는 지켜야 한다." 만일 위원회가 어느 작은, 중요치 않은 작은 나라가, 예를 들면 그것을 선택했고, 그 선택은 전혀 가치 없는 형식적인 것이었고, 선택한 사람들이 그 일에 대해서 전혀 흥미가 없고, 그것을 지지할 가장 작은 의향도 없고, 그것을 위해 힘도 없다는 것을 안다면, 그때 지각 있는 위원회 위원들은 에스페란토에 있어서 여러 가지 해야 할 변화에 대해서 바람과 의견을 간단히 표시할 것이고 그리고 수락과 수락하지 않는 것을 에스페란티스토들의 결정에 맡길 것입니다, 그러나 절대 에스페란토 집단과는 경쟁을 시작하지는 않을 것입니다. 왜냐하면 그들은 국제어 사상에 대하여 도덕적으로 그것은 죄가 될 것이고 그리고 그것이 조만간 실패로 이끈다는 것을 이해하기 때문입니다.

지금 우리는 국제어에 대한 질문의 결정을 위하여 거짓이 아닌 실제로 커다란 힘을 가진 위원회가 만들어졌다는 것을 가정해 봅시다. 전에 저는 이미 그러한 위원회가 그것의 결정이 실제로 절대적으로 가치가 없는 것으로 남아 있는 것을 원치 않는다면, 그것은 오직 에스페란토를 받아드리거나 또는 에스페란토 비슷한 것을 받아드려야 한다는 것을 보여 드렸습니다. 저는 이미 단순히 그것이 에스페란토의 지금의 형태를 믿건 데 받아드려야 할 것이라고 말했습니다. 그러나 우리는 그것이 그것을 하기를 원치 않는 경우를 가정해 봅시다. 그러면 위원회가 어떻게 행동할까요?
왜냐하면, 생명력 있는 언어를 만들기 위해서는 교육받은 사람, 자신에게 내가 만들지, 라고 말하는 사람이 충분치 않다는 것과 사람들이 몇 주일 동안에 주문 대로 그것을 만들 수 있는 것이 아니고, 그것은 오랜, 열성적으로, 헌신적인, 애정을 갖고 지속적인 노력, 지속적인 시도, 통찰력 등등을 요구한다는 것을 위원회가 잘 이해하기 때문에, 그리고 수년의 역사와 전 생명력을 가진, 많은 사람들이 오래 동안 일한, 그러한 언어가 이미 존재한다는 것과 그 언어가 기능을 잘 발휘하고 아주 작은 사소한 점이 위원회 안에서 토론에 부쳐질 수 있는 것을 위원회가 알기 때문에, 그래서 만일 위원회가 자신의 임무를 심각하게 취급한다면 그 위원회는 언어를 만드는데 모험을 걸지 않을 것이고, 생명력이 지금까지 검증되지 않은 다른 인공어를 취할 것도 아니고, 따라서 지각없이 우리의 일에 지금까지 노력한 것에 대해 전혀 필요 없이 싸움을 걸지도 않을 것입니다, 그러나 위원회는 에스페란토를 취할 것이고 그리고 그들이 필요하다고 생각하는 변화를 위원회에서 할 것입니다.

누구에게 위원회는 변화의 실행을 맡길 것입니까? 그 질문을 원칙적으로 탐구하는 것이 필요로 하는 적절한 시간에, 어떠한 언어를 사람들이 선택해야만 하는가를, 그 위원회는 선택된 자가 지각 있는 사람이어야 하고 공평한 그리고 그들이 맡은 완전한 책임을 이해하는 것을, 오직 걱정하면서 위원회는 누구에게든 그 일을 맡겨야 할 것입니다. 그러나 언어가 선택되고 그리고 사람들이 그 속에서 변화를 할 것을 결정했을 때, 사람들은 누구와 그 노력을 협의할까요? 가장 단순한 지각과 과학적인 방법의 가장 단순한 이해는 그러한 일에 대해서 사람들은 그 언어를 외적으로 아는 사람들과 함께 하지 않고, 그러나 무엇보다도 그 언어를 내적으로 잘 아는, 그것을 위해 많은 일을 한, 실제로 가장 많이 사용한, 따라서 그 언어에 커다란 경험을 가진, 실제로 그것의 결점을 잘 아는 사람들과 논의해야 한다는 것을 말합니다. 모든 사람들은 그 언어를 가장 잘 아는 사람들과 협의하지 않고, 외부의 모습에 따라 어떤 언어에서 변경을 시도하는 것이, 만일 위원회가 자신의 임무를 심각하게 취급하고, 감춰진 의도를 가진 사람들에 의해 제안되지 않았다면, 어떤 위원회도 할 수 없는, 그러한 유치한 일이라는 것을 아주 잘 이해할 것입니다.

만일 위원회 위원들이 에스페란토에서 변화를 시도할 것을 결정했다면, 그들은 어떤 것을 시도할까요? 만일 예를 들어 그들이 "이 단어는 1억 명이 말하는 언어에서 취했다. 그래서 그것을 버리고, 1억 이천 만 명이 말하는 언어에서 단어를 취하자." 또는 그들이 말하길 실제로 우리에게 아주 좋은 단어 'estas'는 마음에 들지 않는다. 우리는 차라리 'esas'를 사용하자. 등등 그것은 진정한 사람들이 절대 허락지 않는 아주 유치한 것입니다. 왜냐하면 그들은 이미 수년간의 생명력을 지닌 언어에서 단순한 변덕스러운 생각 때문에, 순수한 이론적인, 그리고 실제로 절대 가치가 없는 동기 때문에 수많은 단어를 바꾸는 것은 의미가 없는 일이라는 것을 이해하기 때문입니다. 사람들은 그들로부터 어떤 이론적인, 철학적인 즐거움이 아니라 실용적인 일을 기대한다는 것을 기억하면서 그들은 물론 그들에게 절대적으로 나쁜, 그 언어 사용자들에게 심각하게 불편한, 자신들에게 나쁘게 보이는 단어나, 형태를 변경시킬 것입니다. 그러나 만일 당신이 23년 동안 에스페란토에 대해 행하여진 모든 질책을 들여다보면, - 그리고 수천 명이 에스페란토를 질책했고, 그리고 그것의 결점 중에 어떤 아주 작은 것이라도 감추어 진 것이 없으며-당신은 그들 질책 중 대다수가 단순히 개인적인 변덕맞은 생각이라는 것을 알 것입니다. 실제로 실질적인 가치를 갖고 있는 제안된 변화의 숫자는, 매우 작기 때문에 그들 모두는 모두가 30분 만에 배울 수 있는 작은 한 장도 안 되는 것을 차지할 것입니다.

그러나 그들 매우 작은 숫자의 가정할 수 있는 변화들 사이에 가장 중요한 것은 오직 개선 비슷한 것이고, 그러나 실제로는 조금만 깊이 생각하면 별로 개선된 점이 없음을 보여 줍니다. 그렇게 예를 들면 제가 16년 전에 제안했던 괴롭히는 자들을 못 이겨, 보급을 쉽게 하고, 그리고 그것을 대다수의 개혁자들이 요구하는 supersigno와 akuzativo를 제거함에 있어 현재의 그 수정은 정부에 의해 세워질, 따라서 힘을 가진 위원회의 그 많은 눈들 앞에서, 전혀 수락될 수 없는 것으로 비춰져야 합니다. 왜냐하면 그것은 외부에서 쳐다보는 사람들에게 마음에 들기 위해 언어의 내적 가치를 불구로 만들고, 인쇄업자가 얼마의 돈을 낭비할 필요가 없고, 초보자가 다소의 어려움을 갖지 않기 위해서는, 자유로운 어순과 투명함의, 언어에 있어서 필요한 중요한 음의 제거로 초래되기 때문입니다.

에스페란토를 신용하지 않게 하기위하여 우리의 반대론자들이 제안한 에스페란토 기사를 당신이 읽으면, 당신은 거의 항상 한 가지 일을 발견할 것입니다. 복수 어미의 'j'의 커다란 집합; 아름다운 그리스 언어에서 아무도 용기 있게 질책하지 않은 그 불행한 'j'는 우리의 반대론자들이 에스페란토에서 가르치는 모든 사건의 핵심입니다.

한마디로 언젠가 정부에서 설립될 위원회가 에스페란토에 있어서 어떤 수정을 할 것을 결정 한다면, 그리고 그 위원회가 자기의 임무를 신중히 처리한다면, 그 위원회는 에스페란토에 있어서 아주 아주 작게 수정할 것을 당신 모두가 쉽게 납득할 수 있습니다. 위원회에서 수정된 에스페란토가 수정 전의 에스페란토처럼 전혀 같은 언어로 남을 것입니다. 오직 몇 개의 현재의 상태가 고어체가 될 것이고 그리고 절대 언어의 일관성을 깨지 않으면서, 지금까지 얻은 그것의 가치를 파괴하지 않으면서, 자신의 위치를 더 편리한 형태로 양보할 것입니다. 그것은 우리의 경건한 바람이 아니고, 그것의 노력이 절대 실질적인 결과 없이 남기를 바라지 않는 다면 어떤 진정한 위원회도 죄짓는 것을 원치 않는 것에 대해 단순한 논리와 지각이 우리에게 그것을 확신시켜 주고 있습니다.

지금 제가 말한 것을 요약하겠습니다. 일의 논리적인 탐구는 우리에게 다음과 같은 것을 보여 줍니다.
1. 국제어는 에스페란토 외에 다른 것이 될 수 없다.
2. 언어의 발달은 모든 언어에서 행해지는 것처럼 같은 자연스런 길로 발달해야 할 것이다. 즉 신어와 고어의 파괴 없이.
3. 차후에 에스페란토에서 어떤 수정을 할 필요가 생기면 에스페란티스토 자신이 공동의 협의로 하든가, 아니면 어떤 커다란 힘이 전체 에스페란티스토 집단과 합의 아래 할 수 있다.
4. 차후에 에스페란티스토 스스로, 또는 어떤 커다란 외부의 힘이 에스페란토에서 수정할 것을 결정하면, 그 수정은 아주 작게 할 수 있다. 지금까지 한, 하고 있는, 후에 할 것을 절대 값어치 없게 해서는 안 되고, 우리가 지금 갖고 있는 그것과 함께 절대 연속성을 깨서는 안 될 것이다.

그것이 그 일의 유일한 자연적인 가능한 길입니다. 그 자연적인 길을 반대하고 싶은 모두는 근거 없이 자신의 힘을 잃을 것입니다. 민족어 사이의 에스페란토 나무의 뿌리는 생명의 땅에 깊이 뿌리내렸기 때문에 모든 바라는 사람들은 뿌리를 변경시킬 수 없고 또는 자기의 욕구대로 나무를 밀어낼 수 없습니다.

친애하는 대회 참석자 여러분!
지금까지 제가 말한 것 전부가 저자의 어떤 자신감에서 우러난 것이 아닙니다. 왜냐하면 저는 완전히, 국제어의 일에 있어서 자연적인 발달 속에 어떤 것을 수정하는 것은 저도 모든 다른 사람들처럼 그렇게 할 수 없다는 것을 완전히 동의하고 숨김없이 고백합니다. 저는 논박할 수 없는 논리의 법칙이 저에게 말하기 때문에, 그것의 완전한 확실함이 우리를 우리 목표로 안내하는 유일한 길이기 때문에 저는 지금의 길을 열심히 고수 합니다. 누구든지 국제어의 일에 자연스런 길을 변경하고 싶으면, -똑같이 그가 에스페란토의 적이든 또는 그것의 가장 열성적인 친구든, 그가 유명인이든 아니든, 그가 말로써, 돈, 교활로써 행동하든 안하든, 그가 광신적인 보수주의자 또는 가장 경솔한 뉴스의 실험주의자이든, 그가 가장 깨끗한 이상주의자 또는 가장 이익을 탐내는 고집쟁이든, 그가 시끄럽고 저주받고 땅속에서 몰래 일하든 안하든, -그는 절대 성공하지 못할 것입니다. 그는 당분간 분열을 조장할 것이고 방해자 그리고 음해자의 슬픈 영광을 얻을 것이며, 그러나 어떤 의미 없는 하찮은 것이, 그들이 갖고 있는 것을, 완전히 살아있는 것으로 확인된, 많은 일과 생명력이 그 안에서 놓여진, 자연적인 길로써 새로운 즙을 조금씩 조금씩 끊임없이 흡수해야 하는 것을 던져 버리기 때문에 그는 절대 국제어 사상의 모든 친구들에게 강요할 수는 없을 것입니다. 국제어의 분야에서 일하는 모든 사람들은 그것을 잘 기억해야 하고 그리고 그들이 그것을 잘 기억하지 못하면 그 생명력은 스스로 그들에게 필요한 가르침을 줄 것입니다.

우리는 따라서 조용히 일을 할 수 있습니다. 만일 우리의 일이 어떤 때는 어렵고 감사함이 없을지라도 우리는 슬퍼해서는 안 됩니다. 우리 편에는 우리의 느낌의 불꽃뿐만 아니라 우리 편 에는 논리와 지각의 논박할 수 없는 법칙이 존재합니다. 인내를 가지고 우리의 손자들이 언젠가 축복의 결실을 거두게 하기 위하여 씨를 뿌리고 뿌립시다. 미국의 땅에 의심할 바 없이 많은 씨가 뿌려질 여섯 번째 에스페란토 대회에 저의 진심어린 인사를 보내는 바입니다.

Parolado antaŭ **la Sepa Kongreso** Esperantista en Antwerpen en la 21a de aŭgusto 1911

Kiel tradicia malfermanto de la kongresoj esperantistaj, mi permesas al mi esprimi en la nomo de ĉiuj kongresanoj nian respektan kaj sinceran dankon al lia Reĝa Moŝto la Reĝo Alberto por la granda honoro, kiun li faris al nia afero, prenante sur sin la protektantecon super nia kongreso. Mi esperas, ke mi esprimos la deziron de ĉiuj kongresanoj, se mi proponos, ke ni sendu telegrafe nian diversgentan saluton al la regnestro de la lando, kies gastoj ni estas, kaj nian dankon al nia alta protektanto. Mi esprimas ankaŭ en la nomo de la kongresanoj nian koran dankon al la urbestraro de Antverpeno, kiu afable donis al ni sian helpon kaj moralan apogon. Fine mi esprimas nian koran fratan dankon al tiuj niaj belgaj samideanoj, kiuj tiel laboreme kaj zorge pretigis nian grandan feston.

Mi uzas ankaŭ la okazon de nia festo, por

revoki en vian memoron la nomon de unu viro, kiu havas grandegan meriton en nia afero. La prelato Johann Martin Schleyer, kies nomon ĉiu el vi konas tre bone, la aŭtoro de Volapük, antaŭ nelonge festis la okdekjaran datrevenon de sia naskiĝo, kaj estus nepardoninde, se ni ne uzus la okazon de nia nuna ĝenerala kunestado, por esprimi al li tiujn sentojn, kiujn ni ĉiuj havas por li. Li estas la vera patro de la tuta internacilingva movado. Antaŭ li oni ankaŭ revis pri lingvo internacia, oni provis labari por ĝi; sed tio estis nur teoriaj skizoj, palaj senkorpaj fantomoj en la regiono de revoj. Li estis la unua, kiu diris al si: por lingvo internacia mi volas ne revi, sed labori; dum ĉio ĉirkaŭe dormis, li estis la unua, kiu praktike kreis la internacilingvan movadon. Volapük ne estis venkita de Esperanto, kiel multaj personoj pensas tute erare; ĝi pereis per si mem en tiu tempo, kiam la trankvile kaj senartifike laboranta Esperanto estis ankoraŭ tro malforta, por iun venki; ĝi pereis ne pro sia stranga sonado aŭ pro aliaj similaj kaŭzoj, ĉar al ĉio oni povas alkutimiĝi, kaj kio hieraŭ ŝajnis sovaĝa, tio morgaŭ aperas kiel io tute natura kaj bela; per longa kaj multespeca uzado eĉ la plej sovaĝa idiomo de la plej barbara gento iom post iom fariĝas riĉa, eleganta kaj oportuna lingvo.

Volapük pereis ĉefe pro unu grava eraro, kiun ĝi bedaŭrinde enhavis: absoluta manko de natura evoluipovo; kun ĉiu nova vorto aŭ formo la lingvo devis konstante dependi de la decidoj de unu persono aŭ de facile inter si malpaconta personaro. Kiel sur bastono plantita en teron, novaj branĉoj kaj folioj ne povis nature kreski sur ĝi, sed devis esti konstante skulptataj kaj algluataj. Se ne ekzistus tiu eraro, kiun korekti oni bedaŭrinde ne povis, Volapuk neniam pereus kaj ni ĉiuj nun verŝajne parolus volapuke. Sed tiu bedaŭrinda eraro, kiun kaŭzis ne manko de talento kaj de laboremeco, sed nur tro rapida publikigo de la lingvo, sen sufiĉe matura elprovado, - tiu eraro, kiu pereigis Volapukon, neniel malgrandigas la meritojn de ĝia aŭtoro, kiu la unua potence skuis la mondon por nia ideo; la grandaj meritoj de Schlieyer en la internacilingva historio neniam malaperos.

Mi proponas al vi, ke okaze de la festo de

Schleyer ni telegrafe sendu al li en la nomo de la tuta esperantistaro nian koran gratulon, nian dankon por lia granda laboro kaj nian deziron, ke li vivu ankoraŭ longe kaj havu la konscion, ke la fruktoj de lia laboro neniam pereos.

Karaj amikoj! Mi staras hodiaŭ antaŭ vi ne esperinte. Ĉar dum la lasta tempo la stato de mia sano estis tro malbona, mi decidis ne veturi al la kongreso en ĉi tiu jaro. Tamen en la lasta momento mi devis ŝanĝi mian decidon, ĉar mi rimarkis, ke la projekto, kiun mi prezentis por diskutado dum la Sepa Kongreso, ne de ĉiuj estas ĝuste komprenita kaj eble bezonos klarigojn de mia flanko. Tial ne miru, ke mi ne prepariĝis paroli antaŭ vi pri ia speciala temo, sed mi tuŝos nur per nemultaj vortoj tiun demandon, kies pridiskutadon dum la kongreso mi proponis al vi. Mi ne antaŭvenos vian decidon por aŭ kontraŭ la diskutota projekto, mi volas nur diri kelkajn ĝeneralajn vortojn, por instigi vin, bone kaj senpartie prepariĝi por la venontaj diskutoj.

Ekzistas en nia afero demandoj, kiuj povas esti solvataj ne de iu aparta persono, ne de iu aparta nacia asocio, ne de iu aparta institucio, sed nur de la tuta esperantistaro: ekzemple la demandoj pri nia Lingva Komitato, Konstanta Kongresa Komitato k.t.p. Se iu volas fari simple konsilajn proponojn pri la interna agado de tiuj institucioj, li povas prezenti siajn proponojn al la estroj de la diritaj institucioj; sed se oni faras plendojn, se oni postulas reorganizon, anstataŭigon aŭ eĉ forigon de tiuj institucioj, – tiam al kiu oni devas sin turni? Aŭ se aperas iaj demandoj, kiuj koncernas la tutan esperantistaron, sed apartenas nek al la Lingva Komitato, nek al la Komitato de la Kongresoj, – tiam kiu havas la rajton ilin solvi? En sia privata esperantista vivo ĉiu persono aŭ grupo aŭ asocio estas kompreneble tute liberaj kaj povas agi, kiel ili volas kaj povoscias; sed pri ĉiuj demandoj, duboj aŭ entreprenoj, kiuj koncernas la tutan esperantan aferon, estas nepre necese, ke ni havu la eblon ĉiam scii la veran opinion aŭ deziron de la tuta esperantistaro. Esperanto ne estas ankoraŭ en tia feliĉa stato, ke ĉiu povu nur tiri el ĝi profiton, ne zorgante pri la bonstato de la afero mem: ni devas kaj dum longa tempo ankoraŭ devos propagandi ĝin, kreskigi ĝin, defendi ĝin kontraŭ malamikoj; sed se ni ne havas la eblon regule interkonsiliĝadi, aŭ se niaj interkonsiliĝoj, farataj ne en orda parlamenta maniero, ne havos moralan valoron por la esperantistoj, ni similos organismon sen kapo kaj sen manoj, ni nenion povos entrepreni, ni staros senmove kaj malpacos inter ni mem.

Mi ne volas en la nuna momento defendi la projekton, pri kiu vi en la plej proksimaj tagoj diskutos; tre povas esti, ke la projekto havas gravajn erarojn, kiujn via pridiskutado forigos; tre povas esti, ke la tuta projekto montriĝos neakceptinda, kaj tiam - vi scias tion tre bone - mi ne penos altrudi ĝin al vi, kiel mi neniam ion al vi altrudis. Nur pri unu afero mi kore vin petas: kion ajn vi decidos, - ni ne fermu nian kongreson, antaŭ ol ni en tia aŭ alia formo faros ian aranĝon, kiu donos al ni la eblon, almenaŭ unu fojon en jaro solvi ĉiujn kolektiĝintajn disputojn aŭ dubojn en lojala interkonsento kaj konforme al la vera deziro de la tuta esperantistaro.

La aranĝo de regula kaj rajtigita kongresa voĉdonado, kiun mi proponis al vi, aŭ ia alia simila aranĝo, kiu eble rezultos el via diskutado, ne estos ia nova institucio kaj per si mem ne ŝanĝos la iradon de nia afero; sed ĝi donos al ni la forton de ordo kaj de solidareco. La institucioj, kiujn ni kreis, aŭ eble ankoraŭ kreos, ĉesos havi la karakteron de ia privataĵo, kiun neniu subtenas kaj multaj atakas. Ili havos rajton diri al la esperantistaro: se ni estas bonaj, respektu nin kaj subtenu nin; se ni estas malbonaj reorganizu nin aŭ forigu nin. Ĉiu esperantisto scios, al kiu plej alta instanco li devas sin turni, se tio aŭ alia en la komunesperantistaj aferoj ne plaĉas al li, kaj oni ĉesos konstante sin turnadi al mi, kiu hodiaŭ vivas kaj morgaŭ povas ne vivi, kaj kiu cetere havas nek rajton nek deziron solvi ĉiujn disputojn propradecide.

Ni komencu nian feston kaj ankaŭ niajn laborojn, al kiuj ni dediĉu nian plenan atenton kaj senpartiecon. Se el niaj laboroj rezultos la enkonduko de preciza ordo en nian aferon, tiam la kongreso Antverpena estos unu el la plej gravaj inter niaj kongresoj. Tion ni esperu. Ĉiu el ni havu la firman decidon, helpi per ĉiuj fortoj al la enkonduko de ordo kaj forigo de ĉiu malpaco en nia afero. Kun tiu firma kaj solena decido en la koro ni kriu: vivu, kresku kaj floru nia afero!

7차 에스페란토 세계 대회

일시 : 1911.8.21
장소 : 앤트워프(벨기에)

에스페란토 대회의 전통적인 개최자로써 당신들 모든 참석
자들의 이름으로, 우리 대회의 후원자로써 중책을 맡으시
고, 우리 일에 보여주신 커다란 명예를 위하여 알베르토
왕 폐하께 존경과 성실한 감사를 표시하는 바입니다. 우리
가 손님으로 있는 이 나라의 최고통수권자에게, 우리가 전
보로 여러 종족의 인사를 보낼 것을, 그리고 우리의 높은
후원자에게 우리의 감사를 제안한다면 우리 참석자들의 바
람을 표시할 것을 저는 희망합니다. 저는 또한 우리를 친
절하게 도움을 주시고 도덕적으로 지지하신 앤트워프의 시
장님에게 우리의 감사의 마음을 대회 참석자 이름으로 또
한 표시하는 바입니다. 끝으로 우리의 커다란 축제를 조심
스럽게, 열심히 준비하신 우리의 벨기에 동지들에게 마음
으로부터 형제의 감사를 표하는 바입니다.

우리의 일에 커다란 공적을 가진 한 남자의 이름을 당신의
기억 속에 상기하기 위하여 저는 또한 우리 축제의 기회를
빌리는 바입니다. 볼라퓌크의 저자, 당신들 이미 모두 잘
아는 이름, 가톨릭의 고위 성직자, 요한 마르틴 슐라이어,

얼마 전에 그의 80세 생신을 경축했습니다. 그리고 우리가 그에게 갖고 있는 그 느낌을 그에게 표시하기 위하여 지금의 일반적인 모임의 기회를 이용하지 않는다면 용서받지 못할 일이 될 것입니다. 그는 정말로 전 국제어 운동의 참된 아버지이십니다. 그이 이전의 사람들도 또한 국제어에 대해서 공상을 했습니다. 사람들은 그것을 위하여 일을 시도하였습니다. 그러나 그것은 오직 이론적인 초벌 그림이고, 공상의 세계에 희미한 몸체가 없는 유령에 불과했습니다. 그는 자신에게 말한 첫 번째 사람이었습니다. 국제어를 위하여 나는 공상을 원하지 않고 오직 일할 따름이다. 주변의 모든 것이 잠드는 동안 실제로 국제어 운동을 창조해낸 최초의 사람이었습니다. 볼라퓌크는 많은 사람들이 잘못 생각하고 있는 것처럼 에스페란토에 의하여 패배당한 것이 아닙니다. 그것은 조용히 숨김없이 보급되는 에스페란토가 어느 것을 이기기 위해서는 아직 너무 약할 때, 그때에 자체로써 망했습니다. 그것은 이상한 소리 때문도 아니고, 다른 비슷한 원인 때문에 죽은 것도 아닙니다. 왜냐하면 사람들은 모든 것에 습관 들일 수 있고, 그리고 어제의 거칠어 보이는 것은 내일이면 그것이 자연스럽고 아름다운 것처럼 보이기 때문입니다. 어느 미개한 종족의 가장 거친 고유 언어조차도 오래 여러 부류의 사용으로 조금씩 조금씩 풍부하고, 우아하고 ,편리한 언어가 됩니다.

볼라퓌크는 유감스럽게 자신이 갖고 있는 한 가지 커다란 잘못 때문에 폐기되었습니다. 자연적인 발달 능력의 절대 부족. 그 언어에서 새로운 단어와 형태는 한사람의, 또는 쉽게 서로 불협화음을 일으키는 사람들의 결정과 항시 관련이 있어야 했습니다. 땅에 심은 막대기처럼 새로운 가지와 잎이 그 위에 자연스럽게 성장할 수 없었습니다. 그러나 끊임없이 조각되고 붙여져야 만 했습니다. 사람들이 유감스럽게 수정할 수 없는 잘못이 없다면 볼라퓌크는 절대 죽지 않을 것이고 그리고 우리 모두는 지금 아마도 볼라퓌크를 말하고 있을 줄도 모릅니다. 그러나 재능 그리고 노력의 부족도 아니고, 그러나 충분한 성숙한 시도도 없이 그 언어의 갑작스런 발표가 오직 원인인 유감스런 실수가 - 그 실수가 볼라퓌크를 죽게 했습니다. 우리의 사상을 위하여 세상을 강력하게 흔든 첫 번째 사람인, 그것의 저자의 공적을 절대 과소평가할 수는 없습니다. 국제어 역사 속에 슐라이어 씨의 커다란 공적은 절대 없어지지 않을 것입니다.

저는 슐라이어 씨의 생신 축제를 맞이하여 그가 아직도 오래 동안 사시고, 그리고 그의 노력의 결실이 절대 죽지 않을 것이라는 의식을 갖도록 하는 우리의 바람과, 그의 커다란 노력을 위한 우리의 감사를, 마음의 축하를, 우리 에스페란토 전체의 이름으로 그에게 전보로 보낼 것을 당신에게 제안합니다.

친애 하는 친구 여러분!
저는 당신 앞에 희망 없이 서 있습니다. 왜냐하면 최근 저의 건강이 아주 악화했기 때문에, 저는 올해 대회에 가지 않기로 결정하였습니다. 그러나 마지막 순간에 저의 결심을 번복하였습니다. 왜냐하면 저는 7회 대회가 열리는 동안에 토론하기 위하여 소개되는 초안이 모든 사람에게 옳게 이해되지 않았고, 내 측에서도 설명이 필요하다는 것을 깨달았기 때문입니다. 그래서 어떤 특별한 주제에 대해서 당신들에게 말할 준비를 하지 못한 것에 대하여 놀라지 마십시오. 그러나 대회 동안에 제가 당신들에게 제의한 토론할 질문을 저는 몇 마디로써 언급할 것입니다. 저는 토론될 초안에 대하여 또는 위하여 당신들의 결정을 앞서서 나가지 않겠습니다. 저는 단지 당신들이 잘, 분파 없이 다음의 토론을 준비하고, 당신들을 잘 격려하기 위하여 몇 마디의 일반적인 말로 말하길 원합니다.

우리의 일에 있어서 개인으로도 아닌, 어느 특정한 민족 협회도 아닌, 어느 특이한 기구도 아닌, 그러나 전체 에스페란토 집단에 의해 해결될 수 있는 질문이 존재합니다. 예를 들면 우리의 언어 위원회, 대회 상임위원회 등등에 대한 질문들입니다. 만일 누가 그들 기구들의 내적 행동에 대하여 단순히 충고할 제안을 하고 싶으면, 그는 자기의 제안을 언급된 기관의 장에게 소개할 수 있습니다. 만일 사람들이 불평을 하거나 사람들이 그들 기관의 재조직을, 교체를, 제거를 요구 한다면 - 그때 사람들은 누구에게 답을 물어야 할까요? 또는 에스페란토 전체에 관한 질문들, 언어 위원회에도 속한 것이 아닌, 대회 위원회에도 아닌, - 그때 누가 그 문제를 해결할 권한을 가질까요? 자신의 사적인 에스페란토 삶 속에, 모든 사람, 또는 그룹 또는 협회는 물론 아주 자유롭습니다. 그리고 그들이 원하는 대로,

알 수 있는 대로 행동할 수 있습니다. 그러나 전체 에스페란토 일에 관계된 착수, 또는 의심, 모든 질문에 대하여 우리가 전체 에스페란티스토 집단들의 바램, 또는 항상 참된 의견을 알 수 있는 가능성을 갖는 것이 필요합니다. 에스페란토는 모두가 그것에서, 그 일의 좋은 상태에 대하여 걱정하지 않고 어떤 이익을 취할 수 있는 그렇게 행복한 상태는 아직까지 아닙니다. 우리는 아직까지 오래 동안 그것을 보급해야 하고, 성장시키고, 적들에 대하여 그것을 보호해야 합니다. 그러나 우리가 정기적으로 서로 협의할 가능성이 없거나, 또는 우리의 협의가 질서 있게 국회의 방식으로 행해지는 것도 아니고 에스페란토들을 위해 도덕적 가치도 없다면 우리는 손과 머리가 없는 유기체와 비슷할 것입니다. 우리는 아무것도 착수할 수 없을 것이고, 그리고 우리 사이의 불협화음이 생길 것이고, 우리는 꼼짝없이 서 있어야 될 것입니다.

저는 당신들이 가까운 장래에 토론할 초안에 대해 지금 시점에서 방어하길 원치 않습니다. 당신들의 토론에서 제거할 중대한 실수를 가진 초안일 수 있습니다. 전체 초안이 받아드려지지 않을 수도 있습니다. 그리고 그때 당신은 그것을 잘 알 것입니다. 저는 당신에게 어떤 것을 절대 강요하지 않는 것처럼, 당신에게 그것을 강요하지 않으려고 합니다. 단지 한 가지 일에 대하여 저는 진심으로 당신들에게 부탁합니다. 무엇이든지 결정할 때 -전체 에스페란토 욕구에 맞는 충성스런 동의 아래 의심과 모든 모여진 토론을 해결할 것을 적어도 일 년에 한번 가능성을 우리에

게 주는 어떤 타협을 그러한 또는 다른 형태로 하기 전에
우리의 대회를 닫아서는 안 됩니다.

당신에게 제안하는 규칙적인 권리가 부여된 대회의 투표에
대한 타협, 또는 당신의 토론의 결과에서 보는 비슷한 타
협은 어떤 새로운 제도도 아닐 것이고 그것으로 우리의 길
을 바꾸지는 못할 것입니다. 그러나 그것은 우리에게 질서
와 연대감의 힘을 줄 것입니다. 우리가 창설한 또는 아직
창설할 기구는 아무도 지원하지 않고, 많은 사람이 공격하
는 어떤 개인적인 일의 성격을 갖는 것을 중지할 것입니다.
그것들은 에스페란티스토들에게 말할 권리를 갖게 될 것입
니다: 우리가 좋다면, 우리를 존경해 주시고 후원해 주십시
오. 우리가 나쁘면 우리를 다시 조직하거나 없애 주십시오.
만일 그것 또는 다른 것이 공동으로 에스페란토 일에 있어
서 그에게 마음에 들지 않는다면 모든 에스페란티스토들은
그가 어떤 높은 기구에 자신을 돌려야 할지를 알 것입니다.
그리고 사람들이 오늘 살고 내일 살지 않을, 자신의 결정
에 의해 모든 토론으로 해결할 욕구가 없는, 권리도 없는
저에게 끊임없이 돌리는 것을 중지할 것입니다.

우리가 우리의 완전한 관심과 공평함을 바친 우리의 일과
우리의 축제를 시작합시다. 우리의 노력에서 우리의 일에
있어서 명확한 질서가 도입된 결과가 나온다면, 그때 앤트
워프의 대회는 우리 대회 중에서 가장 중요한 대회의 하나
가 될 것입니다. 우리는 그것을 희망합시다! 우리의 일에
있어서 불협화음의 제거와 질서의 도입을 모든 힘으로써

도울 확고한 결정을 우리 모두는 합시다. 우리 마음속에 확고한 엄숙한 결정을 하면서 우리는 외칩시다. 만세! 우리의 일이 성장하라! 꽃 피워라!

Parolado antaŭ **la Oka Kongreso** Esperantista en Krakow en la 11a de aŭgusto 1912

La unuaj vortoj, kiujn mi volas hodiaŭ eldiri al vi, karaj samideanoj, estas vortoj de kora gratulo, ĉar ni havas hodiaŭ grandan feston. Ĵus finiĝis dudek kvin jaroj de la tempo, kiam - post longa naska preparado - aperis publike la lingvo, kiu nin ĉiujn unuigas, por kiu ni ĉiuj laboras kaj kiu enkorpigas en si tiun homofratigan ideon, kiun la plimulto el ni havas en sia koro kaj kiu dum dudek kvin jaroj flame instigadis nin labori, malgraŭ ĉia malfacileco kaj ĉiuj malhelpoj.

Dudek kvin jaroj da laborado por Esperanto kaj por ĝia ideo! Tion povas plene kompreni nur tiuj personoj, kiuj partoprenis en tiu laborado de la komenco ĝis nun. Bedaŭrinde tre nemultaj estas tiuj personoj. El la laborantoj de la unua tempo tre multaj jam delonge plu ne vivas, aliajn lacigis la malfacila, grandan paciencon kaj persistecon postulanta vojo, kaj ili malaperis el nia anaro. El tiuj personoj, kiuj troviĝas nun en ĉi tiu ĉambrego, la grandega plimulto en la unuaj jaroj de Esperanto nenion sciis pri ĝi aŭ neklare aŭdis pri ĝi nur kiel pri ia freneza, mokinda kuriozaĵo; tre multaj el vi en la momento de la apero de Esperanto estis ankoraŭ infanoj; multaj, kaj certe ne la malplej fervoraj el vi, en tiu tempo eĉ tute ne ekzistis ankoraŭ en la mondo. La grandega plimulto el vi aliĝis al nia afero nur tiam, kiam ĝi estis jam sufiĉe forta kaj elprovita. Tre kaj tre malgranda, facile kalkulebla per la fingroj, estas la nombro de tiuj personoj, kiuj iris kun Esperanto de la momento de ĝia naskiĝo ĝis la nuna tempo. Kortuŝite ili povas nun rememori, kiel terure malfacila estis ĉiu paŝo en la komenco, kiam ĉiu aludo pri Esperanto postulis specialan kuraĝon, kiam el ĉiu milo da semoj, kiujn ni en plej primitiva maniero, sen helpo kaj sen rimedoj, pacience ĵetadis en la teron, apenaŭ unu ricevis radikojn.

Dudek kvin jaroj! Grandegan gravecon havas tia peco da tempo en la historio de lingvo artefarita. Lingvoj naturaj kreskas tute trankvile, ĉar kun tia lingvo neniu kuraĝas fari iajn eksperimentojn aŭ fleksi ĝin laŭ sia gusto; sed pri lingvo artefarita ĉiu opinias, ke li havas rajton de voĉo, ke li povas aŭ eĉ devas direkti la sorton de la lingvo laŭ sia kompreno. En lingvo natura ĉiu eĉ plej granda efektiva malbonaĵo neniun incitas, eĉ neniun meditigas, kaj estas akceptata kun plena kontenteco aŭ rezignacio; en lingvo artefarita ĉio ŝajnas al ni kritikinda, ĉiu bagatelo, kiu ne estas konforma al nia gusto, pikas al ni la okulojn kaj vekas deziron de refarado. Lingvo artefarita dum longa tempo estas elmetata al senĉesaj ventoj, al senĉesa tirado kaj puŝado. Kiom da ventoj, kiom da senĉesa tirado nia lingvo devis suferi dum sia dudekkvinjara vivo! Se ĝi tamen ĉion sane eltenis, se malgraŭ ĉiuj ventoj kaj puŝoj ĝi dum dudek kvin jaroj vivis kaj kreskis regule kaj rekte, ĉiam pli fortiĝante kaj riĉiĝante, neniam fleksiĝante aŭ kripliĝante, neniam minacante disfali en dialektojn, sed ĉiam pli kaj pli fortikigante sian tute difinitan, ĉie egalan spiriton, neniam perdante hodiaŭ, kion ĝi akiris hieraŭ, - ni povas pri tio sincere nin gratuli.

Antaŭ dudek kvin jaroj mi timeme demandis min, ĉu post dudek kvin jaroj iu en la mondo

scios ankoraŭ, ke ekzistis iam Esperanto, kaj -
se Esperanto vivos - ĉu oni tiam povos ankoraŭ
kompreni ion, kio estis skribita en Esperanto en
ĝia unua jaro, kaj ĉu angla esperantisto povos
kompreni esperantiston hispanan. Nun pri ĉi tio
la historio donis jam plenan kaj perfekte
trankviligan respondon. Ĉiu el vi scias, ke
verko, skribita en bona Esperanto antaŭ dudek
kvin jaroj, en plena mezuro konservas sian
bonecon ankaŭ nun, kaj la legantoj eĉ ne povas
diri, ke ĝi estas skribita en la unua jaro de
ekzistado de nia lingvo; ĉiu el vi scias, ke inter
la stilo de bona angla esperantisto kaj la stilo
de bona hispana esperantisto en la nuna tempo
ekzistas absolute nenia diferenco. Nia lingvo
konstante progresas kaj riĉiĝas, kaj tamen,
dank' al la reguleco de sia progresado, ĝi
neniam ŝanĝiĝas, neniam perdas la kontinuecon
kun la lingvo de tempo pli frua. Kiel la lingvo
de homo matura estas multe pli riĉa kaj pli
elasta, ol la lingvo de infano, kaj tamen la
lingvo de ĝuste parolanta infano neniom
diferencas de la lingvo de homo matura, tiel
verko, skribita en Esperanto antaŭ dudek kvin
jaroj ne estas tiel vortoriĉa, kiel verko skribita
en la nuna tempo, kaj tamen la lingvo de tiu

tempo perdis absolute nenion el sia valoro ankaŭ en la nuna tempo.

Lingvo, kiu eltenis la provon dum dudek kvin jaroj, kiu en plej bona kaj ĉiam pli floranta stato travivis jam tutan homan generacion kaj estas jam pli maljuna, ol multaj el ĝiaj uzantoj, kiu kreis jam grandan, potence kreskantan literaturon, kiu havas sian historion kaj siajn tradiciojn, sian tute precizan spiriton kaj siajn tute klarajn idealojn, – tia lingvo ne bezonas jam timi, ke io pereige depuŝos ĝin de tiu natura kaj rekta vojo, laŭ kiu ĝi evoluas. La vivo kaj la tempo garantiis al nia lingvo naturan forton, kiun neniu el ni povas senpune malrespekti. La hodiaŭa jubileo estas festo de tiu vivo kaj tempo.

Por ke ni, vivantoj, povu festi la hodiaŭan jubileon, fervore kaj sindone laboris multaj personoj, kiuj nun jam ne vivas. Nia morala devo estus rememori ilin en la nuna solena momento. Sed ho ve! ilia nombro estas tro granda, por ke ni povu ilin ĉiujn citi, kaj krom tio la pli granda parto el ili laboris tiel modeste, ke ni eĉ ne scias iliajn nomojn. Tial, por ne fari maljustan apartigon inter eminentuloj kaj ne-eminentuloj, mi citos neniun apartan nomon. Mi devas fari escepton nur por nia kamarado Van der Biest, kies nomo estas ankoraŭ tro freŝa en la memoro de ni ĉiuj, kiu en la pasinta jaro aranĝis kaj prezidis nian grandan ĉiujaran feston, kaj kies morto estas sendube ligita kun tiuj grandaj laboroj kaj malagrablaĵoj, kiujn li prenis sur sin por ni ĉiuj. En via nomo mi esprimas funebran saluton al la ombroj de ĉiuj niaj karaj kamaradoj, kiujn dum la pasintaj dudek kvin jaroj forŝiris de ni la morto. Iliaj ombroj staru nun antaŭ niaj okuloj, kvazaŭ partoprenante en tiu granda festo, kiun ili preparis, sed ne ĝisvivis. Mi proponas al vi, ke ni honoru ilian memoron per leviĝo de niaj seĝoj.

Nun, kiam la matureco de nia afero estas jam tute eksterduba, mi turnas min al vi, karaj samideanoj, kun peto, kiun mi jam antaŭ longe volis direkti al vi, sed kiun mi ĝis nun prokrastis, ĉar mi timis fari ĝin tro frue. Mi petas, ke vi liberigu min de tiu rolo, kiun mi, pro kaŭzoj naturaj, okupis en nia afero dum dudek kvin jaroj. Mi petas vin, ke de la nuna momento vi ĉesu vidi en mi "majstron", ke vi ĉesu honori min per tiu titolo.

Vi scias, ke tuj en la komenco de nia movado mi deklaris, ke mi ne volas esti mastro de Esperanto, sed ke la tutan mastrecon pri Esperanto mi en tuta pleneco transdonis al la esperantistoj mem. Vi scias ankaŭ, ke de tiu tempo mi ĉiam lojale agadis aŭ almenaŭ penis agadi konforme al tiu deklaro. Mi donadis al vi konsilojn, kiel mi povis, sed neniam vi aŭdis de mi la vortojn "tion mi postulas" aŭ "tion mi deziras". Neniam mi provis altrudi al vi mian volon. Tamen, konsciante, ke ĝis sia plena fortikiĝo nia afero bezonas ian enkorpigitan standardon, mi - lau via deziro - dum dudek kvin jaroj plenumadis tiun rolon, kiel mi povis, kaj mi permesadis, kvankam tre nevolonte, ke vi vidu en mi ĉefon kaj majstron. Kun ĝojo kaj fiereco mi konstatas, ke vi ĉiam montris al mi sinceran konfidon kaj amon, kaj pro tio mi eldiras al vi mian plej koran dankon.

Sed nun permesu al mi, ke mi fine formetu de mi mian rolon. La nuna kongreso estas la lasta, en kiu vi vidas min antaŭ vi; poste, se mi povos veni al vi, vi ĉiam vidos min nur inter vi.

Jen estas la kaŭzo, kiu devigis min fari la nunan decidon:
La ekzistado de ia natura konstanta ĉefo, eĉ se tiu ĉefo havas nur la karakteron de unuiganta standardo, prezentas gravan maloportunaĵon por nia afero, ĉar ĝi donas al la afero kvazaŭ personan karakteron. Se al iu ne plaĉas mia persono aŭ miaj politike-religiaj principoj, li fariĝas malamiko de Esperanto. Ĉion, kion mi persone diras aŭ faras, oni ligas kun Esperanto. La tro honora titolo de majstro, kiun vi donas al mi, kvankam ĝi en efektiveco koncernas nur la aferon de la lingvo, fortenas de Esperanto multajn personojn, al kiuj mi pro ia kaŭzo ne estas simpatia kaj kiuj timas, ke, fariĝante esperantistoj, ili devus rigardi min kiel sian moralan ĉefon. Ĉiu, kies opinio pri aferoj esperantistaj estas alia ol mia, ofte sin ĝenas eldiri libere sian opinion, por ne kontraŭbatali publike tiun, kiun la esperantistoj nomas sia majstro. Se ies opinion la esperantistoj ne volas akcepti, li vidas en tio nur la ĉiopovan influon de la majstro. Nun, kiam nia afero estas jam sufiĉe forta, estas necese, ke ĝi fine fariĝu

absolute libera, ne sole libera de ĉiuj personaj dekretoj, kia ĝi fariĝis jam antaŭ dudek kvin jaroj, sed ankaŭ de ĉia efektiva aŭ ŝajna persona influo. Estas necese, ke la mondo sciiĝu tute klare, ke Esperanto povas havi aŭ ne havi siajn libere elektitajn gvidantojn, sed ke ĝi posedas nenian konstantan majstron. Nomu min per mia nomo, nomu min fondinto de la lingvo, aŭ kiel vi volas, sed mi petas vin, ne nomu min plu "majstro", ĉar per tiu morale tro liganta nomo vi malliberigas nian aferon.

Multaj el vi portas en sia koro la samajn idealojn, kiel mi, kvankam ne ĉiuj en tute egala formo; sed la mondo devas scii, ke tiu spirita parenceco inter mi kaj vi estas laŭvola, ke la esperantismo kaj la esperantistoj ne povas esti respondaj pri miaj personaj ideoj kaj aspiroj, kiuj por neniu el vi estas devigaj. Se mi ion diras aŭ faras, kio ne estas konforma al la gusto aŭ konvinkoj de tiu aŭ alia el vi, mi deziras, ke tio neniun el vi ĝenu kaj ĉiu el vi havu la rajton diri: tio estas tute privata ideo aŭ frenezaĵo de Zamenhof, kaj ĝi havas nenion komunan kun la esperanta movado, en kiu li estas nun persono tute privata. La interna ideo de Esperanto, kiu havas absolute nenian devigon por ĉiu esperantisto aparta, sed kiu, kiel vi scias, plene regas kaj ĉiam devas regi en la esperantaj kongresoj, estas: sur neŭtrala lingva fundamento forigi la murojn inter la gentoj kaj alkutimigadi la homojn, ke ĉiu el ili vidu en sia proksimulo nur homon kaj fraton. Ĉio, kio estas super tiu interna ideo de Esperanto, estas nur privataĵo, kiu povas eble esti bazita sur tiu ideo, sed neniam devas esti rigardata kiel identa kun ĝi.

Antaŭ ol mi formetas de mi ĉian oficialan rolon en nia afero, mi ankoraŭ la lastan fojon admonas vin: laboru ĉiam en plena unueco, en ordo kaj konkordo. Ĉiujn dubajn demandojn, kiuj koncernas la tutan esperantan aferon, kaj kiuj ne tuŝas la personan liberecon de ĉiu aparta esperantisto, solvu ĉiam pace, per regula interkonsiliĝo de viaj egalrajte elektitaj delegitoj kaj per disciplina cedo de la malplimulto al la plimulto. Neniam permesu, ke en nia afero regu la principo: "kiu pli laŭte krias, tiu estas prava". Per unueco ni pli aŭ malpli frue certe venkos, eĉ se la tuta mondo batalus kontraŭ ni; per interna malpaco ni ruinigus nian aferon pli rapide, ol tion povus fari ĉiuj niaj malamikoj kune. Ne forgesu, ke Esperanto estas ne sole simpla lingvo, kiun ĉiu el ni uzas nur por siaj propraj bezonoj, sed ke ĝi estas grava socia problemo, ke, por atingi nian celon, ni devas konstante propagandi nian aferon kaj zorgi pri tio, ke la mondo havu estimon kaj konfidon por ĝi. Se en nia afero aperas io, kio ŝajnas al ni malbona, ni povas trankvile ĝin forigi per komune interkonsentita decido; sed ni neniam semu en nia tendaro reciprokan malamon kaj malpacon, kiu nur ĝojigas kaj triumfigas niajn malamikojn. En la unuaj jaroj de nia laborado sur nia standardo estis skribitaj la vortoj "espero, obstino kaj pacienco"; tio tute sufiĉis, ĉar ke ni, samideanoj, devas reciproke nin estimi kaj helpi, tio por ĉiu estis komprenebla per si mem. En la lastaj jaroj ni bedaŭrinde ofte forgesis tiun devon; tial nun, transirante en la duan gravan periodon de nia historio, en la duan kvaronjarcenton, ni skribu sur nia standardo novan vorton, kaj ĉi tiun vorton ni ĉiam respektu kiel sanktan ordonon; tiu vorto estas: "konkordo".

Mi finis tion, kion mi intencis diri al vi, karaj

amikoj. Mi scias tre bone, ke multajn el vi mia nuna parolo malagrable seniluziigos. Kun maldolĉa sento de neplenumita espero vi eble demandos: ĉu en sia lasta kongresa parolo, en sia "kanto de cigno", li nenion pli havis por diri al ni? ĉu en la grava tago de la jubileo de la esperantismo, de tiu jubileo, kiun ni atingis post tiom multe da laboroj kaj suferoj, li nenion pli havis por diri al ni? ĉu en la unua kaj eble ankaŭ la lasta fojo, en kiu ni el ĉiuj partoj de la mondo alproksimiĝis, kiom ni povis, al tiu loko, kie Esperanto naskiĝis kaj kie la atmosfero, saturita de intergenta malpaco, per neevitebla natura reago naskis la esperantisman movadon, – ĉu en ĉi tiu grava kaj solena momento li nenion pli havis por diri al ni? Ho ne, miaj karaj amikoj, miaj karaj samideanoj kaj kunlaborantoj! Multe, multe, tre multe mi volus hodiaŭ diri al vi, ĉar mia koro estas plena; en la jubilea momento de la esperantismo mi volus paroli al vi pri tio, kio naskis la esperantismon, pri ĝia esenco kaj espereblaj sekvoj; sed hodiaŭ mi staras antaŭ vi ankoraŭ en rolo oficiala, kaj mi ne deziras, ke mia privata kredo estu rigardata kiel deviga kredo de ĉiuj esperantistoj. Tial pardonu min, ke mi pli ne parolas.

Kio estas la esenco de la esperantisma ideo kaj al kia estonteco alkondukos iam la homaron la interkompreniĝado sur neŭtrale-homa, sengenta lingva fundamento, - tion ni ĉiuj sentas tre bone, kvankam ne ĉiuj en tute egala formo kaj grado. Ni donu do hodiaŭ plenan regadon al tiu silenta, sed solena kaj profunda sento kaj ni ne profanu ĝin per teoriaj klarigoj.

Samideanoj! La antikva pola ĉefurbo, en kiu ni kunvenis, pretigis por ni gastaman akcepton, faris multe, por honori nian aferon kaj por agrabligi al ni nian restadon dum la kongreso. Mi esperas, ke, revenante en sian hejmon, ĉiu el vi kunportos kun si plej bonan rememoron pri tiu lando kaj urbo, kiujn la plimulto el vi ĝis nun verŝajne tre malmulte konis. Al la regno kaj lando, kiuj montris al ni sian amikecon, sed precipe al la estraro de la gastama Krakovo kaj al ĉiuj institucioj kaj personoj, kiuj donis al nia kongreso sian moralan kaj materialan subtenon, mi esprimas en via nomo plej koran dankon. Plej koran kamaradan dankon mi esprimas kompreneble antaŭ ĉio al la senlaca loka organiza komitato, kiu ne ŝparis laboron por la plej bona aranĝo de nia kongreso. Kaj nun mi deziras al vi ĉiuj gajan feston kaj sukcesan laboron.

8차 에스페란토 세계 대회

일시 : 1912.8.11
장소 : 크라쿠프(폴란드)

오늘 우리는 커다란 축제를 맞이하여, 친애하는 동지 여러
분, 당신들에게 드릴 첫 번째 하고 싶은 말은 마음에서 우
러난 축하의 인사말입니다. -오랜 태어남의 준비 끝에- 우
리 모두를 하나가 되게 했고, 그것을 위하여 우리 모두가
노력 했고, 우리 대다수가 각자의 마음속에 갖고 있는 형
제애의 사상을 품고 있는, 그리고 25년 동안 모든 어려움
과 모든 방해에도 불구하고 우리를 불같이 일하도록 격려
해 준, 언어가 공표된 때로부터 방금 25년이 되었습니다.

에스페란토와 그의 사상을 위하여 25년 동안의 노력! 처음
부터 끝까지 그 노력에 참여한 사람들만이 오직 그것을 완
전히 이해할 수 있습니다. 유감스럽게 많지 않은 사람들이
그러한 사람들입니다. 초창기 시절의 많은 일꾼들 중에서
이미 매우 많은 분들이 오래 전에 세상을 떠났습니다, 어
렵고 커다란 인내와 완고함을 요구하는 길이, 다른 사람들
을 지치게 만들어서 그들이 우리의 구성원에서 떠났습니다.
이 홀에 지금 있는 사람들 중에서 절대 다수가 에스페란토
초창기 시절의 그러한 것을 몰랐고, 마치 어떤 미친, 조롱

할 만한 이상한 짓처럼 그것에 대하여 불확실하게 들었습니다. 당신들 많은 사람들이 에스페란토가 출현한 순간에는 아직 어린 아이들이었습니다. 당신들 중에서 열심인 사람들, 많은 사람들이 그 당시에는 심지어 세상에 존재하지 않았습니다. 당신들 절대 대다수가 에스페란토가 충분히 강해졌고, 시도가 끝난 후에 그때에 우리의 일에 참여하였습니다. 에스페란토가 태어난 순간부터 지금까지의 에스페란토 와 함께 걸었던 사람들의 숫자는 쉽게 손가락으로 셀 수 있는 만큼 아주 매우 작은 숫자였습니다. 감동적으로 그들은, 수천 개의 씨앗을 어떤 도움 없이, 우리가 원시적인 방법으로, 대책도 없이 인내를 가지고 땅에 뿌려서, 겨우 한 개가 뿌리를 내렸을 때, 에스페란토에 대한 모든 암시가 특별한 용기를 요구했을 때, 초창기에 모든 걸음이 얼마나 혹독하게 어려웠는지를 지금 상기할 수 있습니다.

25년! 인공어의 역사에서 시간의 한 조각이 커다란 중대함을 갖고 있습니다. 자연적인 언어는 조용히 성장합니다. 왜냐하면, 그러한 언어는 아무도 실험을 하거나 자기의 입맛대로 주무르지를 않기 때문입니다. 그러나 인공어에 대해서는 모두가, 그가 자기의 이해에 따라 언어의 운명에 대해 심지어 방향을 잡아야 하고 또 할 수 있다는 목소리를 낼 권한이 있다고 생각하고 있습니다. 자연어에 있어서 모든 사람들은 심지어 가장 커다란, 실제로 나쁜 결점조차 아무도 이론을 제기하지 않습니다. 심지어 아무도 생각지 않습니다. 그리고 완벽한 만족으로 또는 체념으로 받아 드립니다. 인공어에 있어서 모든 것은 우리에게 비평할 만한 것이고 우리 입맛에 맞지 않는 모든 사소한 것이 우리의 눈을 찌르고 다시 수정하라는 욕구를 일으키게 합니다. 오래 동안 인공어는 의미 없는 바람에, 의미 없는 흔들림에 놓여 있었습니다. 얼마나 많은 바람에, 얼마나 많은 끊임없는 시달림에 우리 언어가 자신의 25년 생애 동안 고통을 받아야 했 습니까! 만일, 그러나 그것이 모든 것을 건강하게 참았다면, 만일 모든 바람과 흔들림에도 불구하고 그것이 25년 동안 살았고, 규칙적으로 똑바로 성장했다면, 항상 강해지고, 풍성해지며, 절대 구부러지거나 불구가 되지 않으면서, 방언으로 빠지는 징조를 보이지 않고, 그러나 항상 더욱 더욱 자신의 전혀 일정한, 모든 곳에서 똑같은 정신을 강화시키면서, 어제 얻은 것을 오늘에 잃지 않는다면, 우리는 그것에 대하여 우리에게 성실히 축하를 할 수 있을 것입니다.

25년 전에 저는 저에게, 25년 후에 세상의 누가 아직도 에스페란토가 존재했다는 것을 알 것인지, 아닌지, 그리고 만일 에스페란토가 살아 있다면 초창기에 에스페란토로 쓰인 것을 사람들이 그 때 이해할 수 있을 것인지를, 그리고 영국 에스페란티스토가 스페인 에스페란티스토를 이해할 수 있을 것인지 궁금했습니다. 지금 이것에 대하여 역사가 완전한, 완벽한 조용한 대답을 주었습니다. 당신 모두는 25년 전에 훌륭한 에스페란토로 쓰인 작품이 완벽할 정도로, 오직 지금도 훌륭함이 잘 보존되어 있고 그리고 독자들이 우리의 언어가 존재하는 초창기에 그것이 쓰였다고 말할 수 없다는 것을 알고 있습니다. 당신들 모두는 훌륭한 영국의 에스페란티스토 스타일과 지금의 훌륭한 스페인 에스페란티스토 스타일 사이에 절대로 차이가 없다는 것을 알고 있습니다. 우리의 언어가 지속적으로 발전하고, 번성해지고, 그러나 그 발전의 규칙성 때문에 그것은 절대로 수정되지 않고 초창기의 언어의 연속성을 잃지 않을 것입니다. 성숙한 어른의 언어가 어린이의 언어보다 훨씬 풍부하고 탄력적입니다. 그리고 옳게 말하는 어린이의 언어는 성숙한 어른의 언어와 조금도 다르지 않은 것처럼, 25년 전에 에스페란토로 쓰인 작품도 현재에 쓰인 작품처럼 단어가 풍부하지는 않습니다. 그러나 그 당시의 언어가 현재에서 또한 가치 면에서 절대 잃는 것이 없습니다.

가장 좋은, 가장 꽃이 피는 상태로 전 인간의 세대를 살아온, 이미 커다란 권위 있는 성장하는 문학을 창조한, 그것의 사용자의 대다수보다 이미 더 나이가 많은, 그리고 자신의 역사, 전통, 명확한 정신 그리고 확실한 이상을 가진, 25년 동안의 시련을 이겨낸 언어 – 그러한 언어는 그것이 발전하는 자연적인 곧은 길에서 어떤 무엇이 그것을 죽이려고 밀쳐낼 두려움을 가질 필요는 없습니다. 우리들 중 아무도 벌 없이 경멸하지 못하는 자연적인 힘을 생명력과 시간이 우리 언어에게 보장했습니다. 오늘 25주년 기념식은 그 생명력과 시간의 축제입니다.

우리 살아있는 사람들이 오늘의 25년의 축제를 열기 위하여 지금 이미 세상을 떠난 많은 사람들이 열심히, 헌신적으로 일했습니다. 지금의 장엄한 순간에 우리의 도덕적인 의무는 그들을 상기하는 것입니다. 그러나 호, 아이고! 그들 모두를 인용하기는 그들의 숫자가 너무나 많습니다. 그리고 그 외에, 그들의 대다수는 겸손하게 일했기 때문에 우리는 심지어 그들의 이름을 모르는 것입니다. 그래서 탁월한 사람과 탁월하지 않은 사람들 중 옳지 않은 분리를 하지 않기 위하여 저는 아무 이름도 인용하지 않을 것입니다. 저는 그의 이름이 우리 모두의 기억 속에 너무 신선한, 우리의 친구 반 데르 비스트(Van der Biest)는 오직 예외로 두어야 합니다. 그리고 그는 지난해에 매년의 커다란 축제를 준비한 회장이었습니다. 그리고 그의 죽음이 그가 우리 모두를 위해 짊어진 불유쾌한 것과 커다란 노력이 의심할 바 없이 관련되어 있습니다. 지난 25년 동안 죽음이 우리로부터 갈라놓은 우리의 친애하는 친구들의 영전에 당신들의 이름으로 저는 고별인사를 표하는 바입니다. 그들의 그림자를 지금까지 살지 못한 그러나 그들이 준비한, 커다란 축제에 마치 참여하면서 우리 눈앞에서 있게 합시다. 저는 의자에서 일어남으로써 그들에 대한 기억을 명예스럽게 할 것을 여러분에게 제의합니다.

지금 우리의 일의 성숙함이 아주 의심할 바 없을 때 저는 이미 오래전에 당신에게 하고 싶었던, 왜냐하면 저는 너무 일찍이 그것을 하는 것이 두렵지 않나 해서 지금까지 미루어 온, 부탁을 여러 동지들에게 하려고 합니다. 저는 제가 여러 가지 자연적인 이유로 25년 동안 우리의 일에 제가 종사해온 그 역할로부터 당신들이 저를 자유롭게 해주시길 부탁합니다. 저는 지금부터 당신들이 스승으로 바라보는 것 또는 그 이름으로 저를 명예스럽게 하는 것을 중지해 주십시오.

당신은 우리 운동의 초창기에 저는 제가 에스페란토의 주인이 되고 싶지 않고, 그러나 에스페란토의 모든 주인 역할을 완전히 에스페란티스토 자신들에게 넘겼음을 선언한 것을 압니다. 그때부터 저는 항상 충성스럽게 행동했고, 적어도 그 선언에 맞게 행동하려고 노력한 것을 또한 당신들은 압니다. 저는 제가 할 수 있었던 것처럼 당신들에게 충고를 했습니다. 그러나 당신은 저로부터 이런 말을 들어보지 못했습니다. "그것을 저는 요구합니다." 또는 "그것을 저는 바랍니다." 절대 저는 당신에게 저의 뜻을 강요하지 않았습니다. 그러나 우리의 일이 완전히 강하게 될 때까지 어떤 구체화된 깃발이 필요한 것을 의식하면서, 저는 당신의 바람대로 25년 동안 제가 할 수 있었던 것처럼 그 역할을 수행했습니다. 그리고 저는 비록 원하지는 않았지만, 당신들이 저를 우두머리 그리고 스승으로 보는 것을 허락했습니다. 기쁨과 자신감으로, 저는 당신들이 항상 저에게 보여준 성실한 위임과 사랑을 확인하였습니다. 그리고 그것 때문에 저는 당신들에게 저의 고마운 감사를 표하는 것입니다.

그러나 제가 저의 역할을 그만두는 것을 허락해 주십시오 지금의 대회가 당신들이 저를 당신들 앞에서 보는 마지막입니다. 후에 제가 만일 당신들에게 온다면 당신들은 항상 당신들 속에서 저를 볼 것입니다.

현재의 결정을 하게 하는 다음과 같은 원인이 있습니다. 자연스런 상임 수장의 존재함, 만일 그 수장이 단결하는 깃발의 성격을 가진다면, 우리의 일에 커다란 불편함을 초래할 것입니다. 왜냐하면 그것은 마치 개인적인 성격을 우리의 일에 주는 것이기 때문입니다. 만일 누가 저라는 사람을 또는, 저의 정치, 종교 원칙을 싫어한다면, 그는 에스페란토의 적이 될 것입니다. 제가 말하는 것이나 행동하는 모든 것은 사람들이 에스페란토와 연관지을 것입니다. 당신들이 저에게 주는 스승이라는 너무 명예스런 호칭도, 그것이 실제로 언어의 일에 관계되는 것이지만, 제가 어떤 이유로 그들에게 공감하지 않는, 그리고 그들은 에스페란티스토가 된 후, 그들이 저를 자신의 도덕적인 수장으로 간주하는 것을 싫어하는, 많은 사람들을 에스페란토에서 사이를 떼어 놓을 것입니다. 에스페란토 일에 대한 견해가 저와 다른 모든 사람들은 에스페란티스토들이 자기들의 스승이라고 부르는 사람과 공개적으로 토론하지 않기 위하여 자기의 의견을 자유롭게 말하는 것을 종종 부담스러워 합니다. 만일 에스페란티스토들이 누구의 의견을 수락하고 싶지 않다면 그는 그 속에서 그 스승의 모든 전능한 영향을 기대합니다. 지금 우리의 일이 충분히 강할 때, 그것이 25년 전에 이미 만들어진 모든 사람 개인들의 법령으로부터 자유로울 뿐만 아니라, 그러나 또한 모든 효과적인, 보기에 개인의 영향 아래에서도 그것이 끝내 절대적으로 자유롭게 되는 것이 필요합니다. 에스페란토가 자신이 자유롭게 선택된 지도자를 가질 수 있는 것 또는 않는 것, 그러나 그것이 어떤 상임 지도자를 갖지 않는 것에 대해 세상이 확실히 알 필요가 있습니다. 저를 저의 이름으로 불러 주십시오. 저를 언어를 최초에 만든 사람으로 불러 주십시오. 또는 당신이 원하는 것처럼, 그러나 저는 당신들에게 더 이상 "스승"이라고 부르지 말기를 부탁합니다. 왜냐하면, 그 도덕적으로 너무 연관된 이름으로 당신들은 우리 일을 부자유롭게 할 것입니다.

당신들 대다수가 저처럼 같은 이상을 마음에 품고 있습니다, 비록 모두가 똑같은 형태는 아니지만, 그러나 세상은 저와 당신들 사이에 정신적인 친척 관계는 임의로워야 하고 에스페란토 주의는 당신들 중 누구에게도 강제적이 아닌 내 개인의 사상과 열망과는 부합할 수 없다는 것을 알아야 합니다. 만일 제가 당신들 중 그 사람 또는 다른 사람의 신념이나 취향에 맞지 않는 일을 하거나, 말하거나 한다면 저는 그것이 아무도 당신들을 귀찮게 하지 않기를 그리고 당신들 중 모두가 말할 권리를 갖게 되길 바랍니다. 그것이 자멘호프의 미친 짓 또는 전혀 개인적인 사상이다. 그리고 그것은 그가 지금 전혀 개인적인 사람으로 있는 에스페란토 운동과는 아무런 공통점이 없다. 모든 에스페란티스토 따로 각자를 위하여 절대 강요를 할 수 없는, 그러나 당신들이 아는 바와 같이 에스페란토 대회에서 완전히 군림하는 항상 군림해야하는 에스페란토 내적 사상은 종족간의 벽을 허무는 중립적인 기초 위에 있어야 하고 그리고 그들 모두가 자기와 가까운 사람을 오직 형제 또는 인간으로써 보게 하는 사람들을 습관 들게 하는 것입니다.

에스페란토의 내적사상보다 상위하는 모든 것은, 어쩌면 그 사상에 기초한 그러나 그것과 절대 동등하게 간주될 수 없는 오직 사적인 것입니다.

우리의 일에서 모든 공식적인 역할을 내 놓기 전에, 저도 마지막으로 당신에게 충고합니다. 항상 완전히 단결하고, 질서 있고, 조화롭게 일 하십시오. 모든 에스페란토 일과 관련한, 모든 각자의 에스페란티스토들의 개인적인 자유와 관련이 없는 모든 의심스런 질문들을 동등한 권리로 선택된 대표자들의 정기적인 타협으로, 소수가 다수에게 규율적으로 양보하는 자세로 항상 평화롭게 해결하십시오. 절대 우리의 일에서 "큰소리치는 자가 옳다는" 원칙이 군림하는 것을 불허하십시오. 단결로써 우리는 조만간, 설사 세상이 우리에게 덤벼들 지라도 승리할 것입니다. 내적인 불협화음이 우리의 모든 적들이 함께하는 것보다도 더 빨리 우리의 일을 파괴 시킬 줄도 모릅니다. 에스페란토는 단순히 우리의 필요를 위하여 우리가 사용하는 단순한 언어뿐만 아니라 우리가 끊임없이 우리가 우리의 목적을 달성하기 위하여 우리의 일을 계속적으로 보급하고 세계가 그것을 위하여 믿음과 존경심을 갖도록 항상 돌봐야하는 중대한 사회 문제라는 것을 잊지 마시기 바랍니다. 만일 우리의 일에 있어서 우리에게 좋지 않게 보이는 것이 생긴다면, 우리는 그것을 공동으로 협의된 결정으로 조용히 제거할 수 있습니다. 그러나 우리는 우리의 적들만 기쁘게 하고 승리하게 하는 서로의 미움과 불협화음을 우리의 텐트 안에 절대 심지는 맙시다. 우리의 깃발 아래, 우리의 노력의 초창기 시절에는 희망, 완고함, 그리고 인내의 단어들이 써졌습니다. 그것은 우리의 동지들이 서로 우리를 존경하고 돕고 해야만 했기 때문에 충분하였습니다. 그것은 모두에게 각자 이해할 수 있는 것이었습니다. 근래에 우리는 유감스럽게 이 의무를 자주 잊고 있습니다. 그래서 지금 우리 역사의 제 2기로 넘어가면서, 2번째 25주년을 맞이하면서, 우리는 우리의 깃발에 새로운 단어를 씁시다. 그리고 이 단어를 우리는 항상 신성한 명령으로 존경합시다. 그 단어는 "조화" 입니다.

친애하는 친구 여러분, 제가 여러분에게 말하고자 하는 의도를 다 끝냈습니다. 저는 당신들 대다수가 저의 현재의 연설이 불유쾌하게, 환멸을 느끼게 한다는 것을 잘 압니다. 미완성의 희망의 쓸쓸한 느낌을 갖고 여러분은 어쩌면 물을 것입니다. 그의 마지막 연설에서, 자신의 "백조의 노래" 에서, 그가 우리에게 말할 것이 더 이상 없단 말인가? 에스페란티스토들의 25주년 중대한 날에 많은 노력과 고통 뒤에 도달한 25주년에 그가 우리에게 말할 것이 더 이상 없는가? 처음이고 어쩌면 마지막에 우리가 할 수 있는 한 우리가 세상의 여러 지역에서 다가온, 불가피하게 자연적인 반응으로써 에스페란토 운동을 탄생시킨, 에스페란토가 태어나고, 그곳에 분위기가 종족 간에 불협화음이 충만한, 그 지역에서 - 이 장엄하고 중대한 순간에 그는 우리에게 할 말이 더 이상 없는가? 호, 아닙니다. 저의 친애하는 친구들, 저의 친애하는 동지들 그리고 같이 일하는 일꾼들! 많이많이 더욱 많이 저는 오늘 당신들에게 말하고 싶습니다. 왜냐하면 저의 마음이 충만하기 때문입니다. 에스페란토 주의의 25년의 순간에, 그것의 본질과 희망찬 결과에 대해 에스페란토 주의를 탄생시킨 것에 대하여 당신에게 말하길 원합니다. 그러나 오늘 공식적인 역할에서 아직도 저는 당신들 앞에 서 있고, 그리고 저는 저의 개인적인 믿음이 모든 에스페란티스토의 강요되는 믿음처럼 간주되는 것을 바라지 않습니다. 그래서 제가 더 이상 말을 하지 않는 것을 용서하십시오.

무엇이 에스페란토 주의의, 사상의 본질이고 그리고 중립적인 인간의, 종족이 없는 언어의 기초 위에 서로의 이해가 어떠한 미래로 인류를 인도할 것인가를 - 우리 에스페란티스토들은 같은 형태, 같은 정도는 아니지만 우리 모두가 그것을 매우 잘 느끼고 있습니다. 우리는 오늘 그 침묵의, 그러나 장엄한 그리고 깊은 느낌을 완전히 지배합시다. 우리는 그것을 이론적인 설명으로 불경하게 하지 맙시다.

동지 여러분!
우리가 모인 옛날의 폴란드 수도가 우리에게 대회기간 동안 즐겁게 머무르게 하기 위하여, 우리 일을 명예스럽게 하기 위하여, 우리를 위하여 손님에 대한 접대 준비를 많이 했습니다. 저는 각자의 집으로 돌아가면서, 그리고 당신들 대다수가 지금까지 아마도 조금 밖에 몰랐던 그 나라, 그 도시에 대하여 가장 좋은 추억을 갖고 가시길 바랍니다. 우리에게 자신의 우정을 보여준 나라 그리고 국가에게, 그러나 특히 손님을 친절히 맞이하신 크라코보 시장님에게,

우리대회에 자신의, 도덕적인 그리고 물질적인 후원을 하여 주신 모든 기관과 사람들에게, 저는 당신들의 이름으로 가장 마음의 감사를 표하는 바입니다. 우리는 무엇보다도 지칠 줄 모르는 우리대회의 가장 훌륭한 준비를 위하여 노고를 아끼지 않은, 지칠 줄 모르는 지역 조직 위원회에게 무엇보다도 가장 마음의 친구의 감사를 물론 표하는 바입니다. 그리고 지금 저는 당신들 모두에게 즐거운 축제와 성공적인 일이 되길 바라는 것입니다.

편집자의 말

『자멘호프 연설문집』은 우리의 스승인 자멘호프 박사가 직접 참석한 8번의 세계 대회 공식 연설문을 모은 책입니다. 1992년에 『Originala Verkaro』를 통해 연설문을 비롯하여 자멘호프 박사의 글을 다 읽으면서 많은 감동을 받았습니다.

에스페란토 주의라고 하는 내적 사상에 반하여 평화를 꿈꾸고 언어적인 평등한 세상을 희망하며 젊은 시절을 보냈지만 세상은 그렇게 흘러가지는 않았습니다.

이제 현역에서 벗어나 연금생활자의 삶을 누리면서 못다한 희망의 작업을 늦게나마 이어오고 있습니다.

자기 만족에 빠져서 좋은 책을 꾸준히 펴내고 있습니다.

새로 에스페란토의 세계에 들어온 이에게 도움이 되고자 다양한 내용의 책을 에한 대역으로 만들었습니다.

율리안 모데스트의 책은 전작을 소개할 계획도 가지고 있습니다. 양서를 골라 에한 대역으로 만들고 독서의 재미와 함께 교양도 쌓고 우리 에스페란토 언어 학습에 도움이 되고자 생각합니다.

이 책을 구매하신 모든 분께 감사드립니다.

종이책의 매력은 직접 사서 한 장씩 넘겨가면서 읽고 메모도 하고 나의 것으로 만드는 것입니다. 그러면서 이해력이 증진되고 자기 지식으로 확실하게 선다는 제 믿음이 디지털 시대에도 변함없이 종이책을 고집하여 출판하는 동기입니다. 독자 여러분의 사랑에 감사드립니다.

  - 오태영(mateno, 진달래출판사 대표)